El verano del inglés

Alfaguara es un sello editorial del Grupo Santillana

www.alfaguara.com

Argentina
Av. Leandro N. Alem, 720
C 1001 AAP Buenos Aires
Tel. (54 114) 119 50 00
Fax (54 114) 912 74 40

Bolivia
Avda. Arce, 2333
La Paz
Tel. (591 2) 44 11 22
Fax (591 2) 44 22 08

Chile
Dr. Aníbal Ariztía, 1444
Providencia
Santiago de Chile
Tel. (56 2) 384 30 00
Fax (56 2) 384 30 60

Colombia
Calle 80, 10-23
Bogotá
Tel. (57 1) 635 12 00
Fax (57 1) 236 93 82

Costa Rica
La Uruca
Del Edificio de Aviación Civil 200 m al Oeste
San José de Costa Rica
Tel. (506) 220 42 42 y 220 47 70
Fax (506) 220 13 20

Ecuador
Avda. Eloy Alfaro, 33-3470 y Avda. 6 de
Diciembre
Quito
Tel. (593 2) 244 66 56 y 244 21 54
Fax (593 2) 244 87 91

El Salvador
Siemens, 51
Zona Industrial Santa Elena
Antiguo Cuscatlan - La Libertad
Tel. (503) 2 505 89 y 2 289 89 20
Fax (503) 2 278 60 66

España
Torrelaguna, 60
28043 Madrid
Tel. (34 91) 744 90 60
Fax (34 91) 744 92 24

Estados Unidos
2105 N.W. 86th Avenue
Doral, F.L. 33122
Tel. (1 305) 591 95 22 y 591 22 32
Fax (1 305) 591 91 45

Guatemala
7ª Avda. 11-11
Zona 9
Guatemala C.A.
Tel. (502) 24 29 43 00
Fax (502) 24 29 43 43

Honduras
Colonia Tepeyac Contigua a Banco Cuscatlan
Boulevard Juan Pablo, frente al Templo
Adventista 7º Día, Casa 1626
Tegucigalpa
Tel. (504) 239 98 84

México
Avda. Universidad, 767
Colonia del Valle
03100 México D.F.
Tel. (52 5) 554 20 75 30
Fax (52 5) 556 01 10 67

Panamá
Avda. Juan Pablo II, nº15. Apartado Postal
863199, zona 7. Urbanización Industrial
La Locería - Ciudad de Panamá
Tel. (507) 260 09 45

Paraguay
Avda. Venezuela, 276,
entre Mariscal López y España
Asunción
Tel./fax (595 21) 213 294 y 214 983

Perú
Avda. Primavera 2160
Surco
Lima 33
Tel. (51 1) 313 4000
Fax. (51 1) 313 4001

Puerto Rico
Avda. Roosevelt, 1506
Guaynabo 00968
Puerto Rico
Tel. (1 787) 781 98 00
Fax (1 787) 782 61 49

República Dominicana
Juan Sánchez Ramírez, 9
Gazcue
Santo Domingo R.D.
Tel. (1809) 682 13 82 y 221 08 70
Fax (1809) 689 10 22

Uruguay
Constitución, 1889
11800 Montevideo
Tel. (598 2) 402 73 42 y 402 72 71
Fax (598 2) 401 51 86

Venezuela
Avda. Rómulo Gallegos
Edificio Zulia, 1º - Sector Monte Cristo
Boleita Norte
Caracas
Tel. (58 212) 235 30 33
Fax (58 212) 239 10 51

Carme Riera

El verano del inglés

ALFAGUARA

Título original: L'estiu de l'anglès
© 2006, Carme Riera
© De la traducción: Carme Riera
© De esta edición:
    2006, Santillana Ediciones Generales, S. L.
    Torrelaguna, 60. 28043 Madrid
    Teléfono 91 744 90 60
    Telefax 91 744 92 24
    www.alfaguara.com

ISBN: 84-204-7029-5
Depósito legal: M. 7.328-2006
Impreso en España - Printed in Spain

Diseño:
Proyecto de Enric Satué

© Cubierta:
Marcos Balfagón

Impreso en el mes de marzo de 2006
en los Talleres Gráficos de Anzos, S. L.,
Fuenlabrada, Madrid (España)

*Para la doctora Carmen Balcells,
el año del Horroris.*

*Y a Martha Tennent, en las antípodas de
A. Grose, en recuerdo de su desinteresado
intensivo, con infinita gratitud y no menos
cariño.*

1.

Me pide usted que se lo cuente todo porque de lo contrario no se encargará del caso. Acepto su propuesta y le escribo comenzando desde el principio, para que pueda tener entera noticia de mi persona. Me hago cargo de hasta qué punto necesita conocer incluso aquellos aspectos a simple vista nimios o superfluos, ya que en ellos pudieran encontrarse las claves para argumentar una buena defensa.

Me dice usted que medite sobre los hechos, repasándolos sin temor cuantas veces sea necesario, y se los describa con todo detalle. No dude de que voy a obedecerle cumpliendo sus indicaciones una por una. Tengo, por desgracia, todo el tiempo del mundo. Y me lo voy a tomar. Comienzo, pues, desde el principio.

Con la antelación suficiente para que pudiera cambiar de planes, sin que eso le causara un perjuicio irreparable, llamé a mi prima María para decirle que ese verano no podría viajar con ella como acostumbraba.

Las razones que me lo impedían eran de peso: de una vez por todas había decidido acabar con el engorroso asunto del inglés. Ignoraba por entonces —principiaba el mes de febrero, lo recuerdo con exactitud— cuánto habría de lamentarlo. Bien al contrario, tenía la seguridad de que al menos por esa vez había tomado una determinación acertada. Ni por un momento imaginé, estúpida de mí, que sería la peor de mi vida. A veces las cosas resultan así de paradójicas, en especial cuando se tiene una estupenda intuición de mosquito, como la mía. Sin embargo, en mi descargo, debo señalar que no creo que nadie pudiera llegar a sospechar siquiera cuanto me ha ocurrido, sólo por querer aprender inglés. Los motivos que me llevaron a acabar con esa terrible carencia no sólo estaban perfectamente justificados sino que eran de una objetividad meridiana.

Pocos días antes de llamar a mi prima para que cancelara nuestro viaje a Perú, el hecho de no saber inglés me había dejado tirada en la cuneta de la multinacional en la que trabajaba. Lo que me había ocurrido era exactamente lo contrario de lo que aseguraba en las vallas publicitarias el anuncio de una popular academia de idiomas: «Laura consiguió ascender de categoría porque hablaba inglés». Después de mi fracaso, y tras varias noches de insomnio y pesadillas —soñaba que un gran pez apetitoso y plateado se me escabullía de entre las manos, dejándolas llenas de unas escamas que por más que frotaba permanecían adheridas a la piel—, me juré que la segunda oportunidad, a la que ya había aludido mi jefe, no me cogería desprevenida, así que decidí que no dedicaría ni un minuto de mis vacaciones a otra cosa que no fuera a estudiar inglés. Lo sentía por mi prima, y por las bellezas de Perú, por Gustavo y por Gladys Bueno, mis amigos de Arequipa, a los que había prometido visitar, pero mi decisión era irrevocable y el sueño premonitorio. Sólo el conocimiento del idioma de los yanquis, aunque sería mejor empezar por referirme al idioma de los hijos de la Gran Bretaña, mejoraría mi autoestima a la vez que mis posibilidades de progresar profesionalmente. Consulté con casi todas las instituciones dedicadas al aprendizaje de idiomas —del British Council al Instituto Americano, pasando por la Escuela Oficial y acabando por la ristra de academias que se dicen especializadas— para tratar de averiguar qué cursos ofrecían en agosto, el único mes que yo podía dedicar por entero a estudiar. Mi trabajo sin horario, o mejor sería decir mi trabajo de prácticamente catorce horas diarias, no me permitía otra opción. Pero no todos los centros oficiales estaban abiertos en agosto y las academias privadas, pese a que me garantizaban que con sus métodos el inglés dejaría de tener secretos para mí, no me merecieron excesiva confianza. Desistí de matricularme, por eso y por el agobio que me produjo el futuro calor de agosto que en febrero, los meteorólogos ya predecían que habría de ser insoportable a consecuencia del cambio climático. La alternativa consistía en un curso en Gran Bretaña o Estados Unidos, que además de darme la posibilidad de salir de Barcelona me permitiría, gracias al contacto directo con los hablantes nativos, la inmersión total que tan necesaria me era. Suponía que de una vez por todas podría renunciar a tener que repetir una de las pocas frases que era capaz de soltar: *I'm sorry. I don't speak English,* antes de enmudecer de modo irrevocable, cabizbaja y desilusionada, pensando en todo lo que me perdía a consecuencia de mi desconocimiento de esa lengua franca que, nos guste o no, es el inglés.

Como mi obsesión era bien conocida por mis compañeros de trabajo, todos trataban de quitarle importancia diciéndome que no debía preocuparme tanto, al fin y al cabo la mía era una carencia generacional. Pero aun así me consolaba poco el mal de muchos. Al contrario, me dedicaba a imaginar la enorme cantidad de relaciones de todo tipo, amorosas, amistosas, comerciales, abortadas en el mundo por esa causa, y hasta tenía la seguridad de que algunos de los acontecimientos políticos de nuestro desgraciado país guardaban relación con el asunto. Estaba convencida de que si Aznar hubiera sabido suficiente inglés, nuestra participación en la guerra de Irak no habría tenido lugar. Fue su complejo de inferioridad lo que le impulsó a decirle a Bush *yes,* en vez de *no, thanks,* o de entrada *no, darling.* Cuando no sabes un idioma no puedes negociar, eso está claro, y tiendes a pasar por todo, sin darte cuenta de hasta qué punto aceptas las imposiciones del otro. Pensándolo bien, quizá nuestra participación en la guerra fue un efecto colateral de las carencias idiomáticas del entonces presidente. Su educación, como la mía, fue una consecuencia más del franquismo. Incluso entonces, aunque Franco hubiese muerto, los idiomas extranjeros eran considerados elementos de contaminación foránea. No estaba mal visto, sino todo lo contrario, no hablar más lengua que el español, el idioma del Imperio, en el que Carlos V, quizá uno de los pocos gobernantes alabados por políglotas cuando yo estudiaba, se dirigía a Dios, mientras que trataba a su caballo en alemán y ligaba con las damas en francés.

Las lenguas no fueron el fuerte de la educación de mi época y creo que tampoco de la actual, a juzgar por lo que dicen las encuestas. Guardo por algún cajón de la cocina unos recortes de prensa que me dio Jennifer, mi compañera de la inmobiliaria, con la buena intención de consolarme, en los que se asegura que un cincuenta y ocho por ciento de los estudiantes españoles es incapaz de mantener una conversación en una lengua ajena a la propia. Vamos, que no saben inglés, idioma que, según Jennifer, que es americana, también desconoce Bush a pesar de que sea el suyo... Pero ni con todos esos argumentos consiguió mermar mi obstinación. Le aseguré que tanto los estudiantes como Bush me traían al fresco, que por todos los medios quería solucionar mi problema, que detestaba parecerme a ellos y que lo mejor que podía hacer por mí, en vez de llenarme de recortes de periódico, era aconsejarme la mejor manera de aprender inglés. Jennifer me sugirió entonces que buscara una agencia de viajes especializada en turismo lingüístico. Ella misma me mencionó dos que conocía. Acudí enseguida a las direcciones que me dio y allí, en efecto, me ofrecieron una gran cantidad de posibilidades. El abanico era amplísimo: cursos en Estados Unidos, Escocia, País de Gales, Irlanda. El precio resultaba bastante caro pero eso a mí no me importaba. Mi sueldo es alto gracias al tanto por ciento de las comisiones sobre las ventas de pisos. En cambio lo que me preocupaba era tener que compartir el curso con gente de edades diferentes a la mía. Descartados los niños —nunca imaginé que los cursos para enanos fueran tan numerosos y variados—, que tenían clases especiales destinadas en exclusiva, no me podían garantizar que mis condiscípulos no fueran adolescentes, jóvenes, o al menos más jóvenes que yo, algo que, de un tiempo a esta parte, viene siendo normal en cualquier lugar. Y eso no me apetecía nada. Entiendo que mi exigencia de un grupo reducido de alumnos de entre cuarenta y cinco y cincuenta años era mucho pedir, aunque la persona que me atendió se hizo perfecto cargo de mi situación y hasta me insinuó que a ella le ocurriría lo mismo. Puestos a escoger, hubiera excluido del curso a los jóvenes, cuyas neuronas, sin duda mucho más ágiles que las mías ya maduras, habrían de hacer que me sintiera ridícula al primer envite.

Aconsejada por Jennifer, rebusqué en el almacén de Internet y fue allí donde di con una oferta que parecía cortada a mi medida. Tras pulsar el ábrete sésamo de la dirección de una página web, obtenida a través de un link, encontré lo que me pareció del todo idóneo a mi situación. Una profesora especializada en la enseñanza del inglés para extranjeros ofrecía sus servicios del tipo «aprenda inglés en casa del profesor». Una modalidad que consideré de lo más conveniente. Además, la cuantía del curso, tres mil libras que Mrs. Annie Grose exigía a cambio de pensión completa y clases particulares *full time*, no me pareció en absoluto excesiva, teniendo en cuenta los precios de la mayoría de los cursos.

Tuve la sensación, igual que Jennifer, de que eso era exactamente lo que andaba buscando, porque esa modalidad me permitiría hablar inglés las veinticuatro horas del día sin interrupción y a la vez empaparme de la vida inglesa en sus detalles más íntimos. La profesora, cuya fotografía tamaño carné ofrecía la página, tenía un aspecto agradable, rubia, de ojos claros, carirredonda, exhibía una sonrisa bonachona. En un breve currículum constaba el año de su nacimiento: 1945. Que tuviera sesenta años, casi once más que yo, me parecía estupendo. Así comprendería mejor las dificultades que el aprendizaje de idiomas comporta cuando uno es mayor. El hecho de que fuera mujer facilitaba las cosas, al menos también en apariencia. Si hubiera sido un hombre, quizá no me habría atrevido a enviar, tal y como pedía a los interesados, una carta de solicitud, un currículum y una foto de cuerpo entero, requisitos tal vez un poco extraños de entrada, aunque a Jennifer le parecieron justificados.

Mi amiga argumentó que consideraba de lo más natural que Mrs. Grose quisiera saber por adelantado con quién tendría que convivir durante cuatro semanas las veinticuatro horas, y que tanto la fotografía como los datos personales en los que tenían que anotarse gustos, aficiones, estado civil y hasta el número de hijos, en caso de tenerlos, cargas familiares, etcétera, eran requisitos indispensables para tratar de descubrir de antemano si alguna incompatibilidad podía hacer inviable la relación, adelantándose a lo que después sería irreparable.

Sin embargo a mí me quedaron algunas dudas, en especial con respecto a la fotografía de cuerpo entero. ¿Por qué no se conformaba Mrs. Grose con una fotografía tamaño carné como todo el mundo, incluida la policía de fronteras? ¿No era de carné la suya? Jennifer, que tenía respuesta para todo, me dijo que así la profesora sabría si algún defecto físico o discapacidad aquejaba a su futura alumna o alumno con antelación. De esta manera Grose, sin salirse de los límites de lo políticamente correcto, tan importantes en el mundo anglosajón, descartaba tales eventualidades. Quizá no le gustasen las personas delgadas, o los demasiado altos o gordos. Los gordos, decía Jennifer, pueden causar verdaderos estragos domésticos, hundir sofás, romper sillas, descalabrar camas, además de comer como limas. Quizá Mrs. Grose no tuviese un mobiliario adecuado para doscientos kilos ni presupuesto para los excesivamente comedores, o, por el contrario, detestara a los enanos. Porque vamos a ver, ¿qué causas pueden llevar a que un liliput no desee aprender inglés? ¿Y por qué razón Mrs. Grose está obligada a convivir con un liliput si prefiere a las personas de mayor estatura? Tal vez le desagraden las mujeres de pies grandes, le parezcan gafes los cojos, los calvos le traigan malos recuerdos, no soporte a los melenudos o tenga animadversión a los que llevan gafas...

Como ve usted, Jennifer tenía respuestas convincentes para todo. Si Grose podía elegir, estaba en su derecho. En efecto, tampoco yo hubiera deseado convivir con alguien tuerto durante un mes, pues me inquietan los ojos errantes, y menos aún con alguien sudoroso. Detesto a los seres cuya constante transpiración les obliga a estar empapados de continuo y cuya mano semeja un hígado a punto de trasplante. Perdí una vez una estupenda venta de un ático imponente por atender mal al millonetis que lo quería comprar. Su camisa empapada y sobre todo su mano chorreante me producían alergia. Pero ésa es otra historia. El sudor, para mi desgracia, no suele notarse en las fotografías, y adelanto aquí que Mrs. Grose transpiraba bastante.

Envié pues por correo electrónico cuanto me pedía la profesora, escogí entre las fotos una en la que estuviera favorecida aunque no excesivamente, no fuera a ser que resultara irreconocible. Me respondieron cinco minutos después confirmándome que mi solicitud había sido recibida y que en un plazo máximo de dos semanas me informarían si era yo la persona aceptada, ya que, hasta el momento, había trece candidatas. En ese mismo correo me remitían una postal del lugar donde se encontraba la casa de Mrs. Grose, a unas ciento veinte millas de Londres, en plena naturaleza, y se me preguntaba si no me molestaba vivir aislada. Contesté al instante que todo lo contrario.

El hecho de poder pasar el mes de agosto en el campo suponía un aliciente más. Vivo once meses encerrada en la ciudad, de manera que permanecer una temporada lejos del asfalto me pareció de lo más gratificante. Me sentía tan ilusionada y deseosa de que me seleccionaran que dedicaba las horas libres a acechar la entrada de mensajes del correo electrónico, pendiente de las noticias de Mrs. Grose. Y las tuve de nuevo cuatro días después. Otra vez me enviaba imágenes. Ahora se trataba de las de la casa, no de su entorno, como la primera vez. El edificio de tres plantas con paredes cubiertas de hiedra tenía un aspecto solemne y antiguo, comparable al de esas viejas mansiones victorianas que tantas veces hemos visto en el cine, y quizá por eso me anticipé al recuerdo de haber estado allí, después de mi regreso, feliz con mi inglés recién nacido y la amistad de Mrs. Grose. La fachada principal se abría a un porche y éste a un jardín con hortensias pomposas. En otra fotografía se mostraba lo que supuse que iba a ser mi habitación porque de otro modo no tenía demasiado sentido retratar una alcoba en vez de una biblioteca o un salón. Era un cuarto enorme. Mi ojo inmobiliario le calculó unos cuarenta metros, y no me equivoqué. La cama dieciochesca con un gran baldaquino estaba adosada a una de las paredes y frente a ella un sofá chéster hacía juego con dos butacas. Había además otros muebles, una cómoda, un escritorio y un *tallboy,* esa especie de chifonier en la que antes los lords guardaban las camisas.

Ya sé que el objetivo de la cámara tiende, casi siempre, a embellecer cuanto capta y en consecuencia cabía suponer que tanto lujo era producto de la exageración. Quién sabe si vistos al natural aquellos muebles de tanta magnificencia no estarían comidos de carcoma o llenos de polvo. Pero aun así, la casa de Mrs. Grose llamaba la atención. Las fotografías renovaron todavía más si cabe mi ansiedad pero en esta ocasión el tiempo de espera fue breve. Dos días después en un correo electrónico, como siempre, se me comunicaba, felicitándome, que yo había sido la candidata elegida.

Las respuestas a los cuestionarios y mi condición, gustos y aficiones me convertían en la aspirante más idónea entre las trece solicitantes. Pero para que la reserva fuera firme se me pedía que enviase el cincuenta por ciento de la cantidad estipulada a una cuenta corriente domiciliada no en Inglaterra sino en una sucursal de un banco local, el Leyonard National Bank del pueblo de Lebanon, en Nueva Inglaterra, Estados Unidos.

Tal vez usted en mi lugar se lo habría pensado dos veces antes de hacer el ingreso ya que nada garantizaba que aquello no constituyese un timo. ¿Qué avales de credibilidad ofrecía Mrs. Grose por mucha página web que tuviera montada? Ninguno, y ni siquiera en el justificante de la transferencia bancaria que le hice constaba que ésta se hubiera realizado como anticipo del pago de un curso de inglés. ¿Y por qué una cuenta americana y no británica? Aunque eso me lo aclaró Mrs. Grose *motu proprio*. Ella se encontraba en aquellos momentos en Estados Unidos intentando levantar la casa que tenía en Lebanon, en una de cuyas escuelas había sido profesora, y el adelanto que yo le había mandado le serviría para la mudanza a Inglaterra, donde había nacido. Tenía intención de retirarse al campo y establecerse en la casa cuyas fotografías me había mandado, herencia de una tía por parte de su padre, llegada en el momento más oportuno cuando ella estaba empezando a pensar en la jubilación que este año, por fin, había conseguido anticipadamente.

2.

Supe de la confirmación de la plaza a finales de marzo y pasé los cuatro meses que aún faltaban para agosto en un estado de ansiosa expectativa. De vez en cuando me llegaba alguna nueva información de mi futura profesora con detalles relacionados con la estancia, el tipo de ropa adecuado, cómoda por descontado, *casual*, con alguna chaqueta pues no solía hacer demasiado calor y por la noche refrescaba bastante; el horario estricto —ocho horas de trabajo sin perdonar un segundo, empezando a las nueve *o'clock* y terminando a las cinco, más casi otras tantas de vida en inglés, con la posibilidad de hacer excursiones los fines de semana. Una opción que, aunque incrementaría algo el precio, puesto que al transporte habría que añadir el hecho de tener que dormir fuera de casa en algún *bed and breakfast* recomendado, me aconsejaba no descartar puesto que me permitiría, a la vez que seguía el curso practicando inglés, conocer algunos lugares pintorescos, que ella se sabía de memoria, y que tenían el aliciente añadido de ser sumamente literarios.

La sugerencia no me entusiasmó en absoluto. Detesto las excursiones de fin de semana con las carreteras embotelladas y el riesgo de figurar en la lista de muertos por accidente planeando todo el rato sobre la carrocería del coche, como el pajarraco que es de mal agüero. Y aunque no tengo nada contra la literatura —allá esos que se entretienen con novelas, como mi prima María, prima tercera para ser exactos, y hasta llegan a creérselas—, con la vida que llevo no me queda tiempo para leer. De manera que pertenezco a ese tipo de gente que declara en las encuestas que no lee libros, para escándalo de quienes afirman lo contrario. Cuando no tengo que estar trabajando, lo que ocurre exclusivamente los fines de semana, me dedico a ir al cine o a dormir puesto que siempre ando falta de sueño.

Me doy cuenta de que he escrito en presente el párrafo anterior cuando en realidad debería haberlo hecho en pasado. La costumbre de treinta años ha pesado más que esos tres meses de encierro. En fin, usted se hará cargo. Sigo con lo que le contaba: las referencias que Mrs. Grose me dio en torno a los lugares donde, a su juicio, un tal Henry James sitúa *Otra vuelta de tuerca* —vaya título raro, ¿verdad?— o los itinerarios turísticos por los alrededores de *Cumbres borrascosas* o *Jane Eyre,* que también aparecen en las guías que me compré, no me cautivaron demasiado, a pesar de que tampoco los deseché. Al contrario, le dije que me parecía bien, que lo dejaba a su criterio, que según el tiempo que hiciera veríamos, que tal vez sería mejor decidirlo a conveniencia de las dos en cuanto llegara en vez de reservar hotel con tanta antelación. Me contestó con un OK, y su firma. Nada más. El mensaje era escueto. Más escueto, imposible. Pensé que estaría ocupada y traduje su OK por de acuerdo, muy bien, aunque después pensé que su laconismo quizá se debía a que estaba molesta conmigo, que quizá yo, sin querer, la había molestado. Al fin y al cabo, aquélla era una deferencia por su parte a la que yo contestaba con evasivas, dándole largas. Estaba claro que ella no ganaba nada acompañándome a lugares que ya conocía, más bien perdía tiempo privándose de descansar. Por eso y por no pasar por tacaña —algo que detesto aunque no es cierto que los catalanes lo seamos, por lo menos no todos, se lo aseguro— hice un ingreso en la cuenta que me había dado por el importe que ella había calculado que costaría la primera excursión.

Entre finales de marzo y finales de julio intercambiamos bastantes correos que aún deben de andar en la memoria del ordenador de mi oficina. Mi clave de acceso es lalala, por favor, trate de verlos. A través de la página web de la inmobiliaria y tecleando mi nombre, Laura Prats Massutí, entrará sin problemas. Creo que de ellos podrá extraer algunas conclusiones con respecto a la actitud de Mrs. Grose, su cinismo, cálculo y frialdad, y también con respecto a la mía, tan ingenua y estúpida, tan volcada en la obsesión de aprender, por fin, inglés. Grose contestaba a mis preguntas, en general sobre cuestiones de intendencia, y yo a las suyas. Recuerdo, por ejemplo, unos emilios sobre platos predilectos e incompatibilidades culinarias. Por su parte eran los ajos, tan usuales en la cocina española. Según decía, una alergia reciente y tristísima le impedía tomar gazpacho, ajoblanco y bacalao al ajo arriero, que tanto le gustaban. Por la mía, ninguna, excepto, y eso sólo desde hace nada, desde mi desgraciado verano inglés, ese postre repugnante a base de melocotón caliente y natillas que ponía Grose casi todos los días para acabar el *dinner* y que yo me veía en la necesidad de terminarme, primero por delicadeza y después obligada por las circunstancias.

Antes de las vacaciones de Semana Santa le escribí a Grose pidiéndole que me indicara, ya que tendría cuatro días libres, qué podía hacer para ir preparándome para el intensivo de agosto. Me contestó que tratara de ver películas en inglés siempre que me fuera posible y que me enterara de las noticias por vía digital, a través de la CNN y la BBC. Lo intenté, pero mis esfuerzos fueron vanos. Me compré una serie de películas en versión original pero la dicción inmejorable de Sir Lawrence Olivier, según aseguran los entendidos, no me lo ponía fácil. En cuanto a Bogart, su acento de Pato Donald que tampoco entendí en absoluto le hizo bajar infinitos puntos en mi estima. Y lo sentí, porque era uno de mis actores predilectos.

En cuanto a los telediarios en inglés también desistí. De seguir escuchándolos me hubiera quedado *in albis* de cuanto pasaba por el mundo, o peor, sin saber bien si debía preocuparme por los atentados, horrores y catástrofes varias, en el caso de que sucedieran a la vuelta de la esquina, o, por el contrario, sólo compadecer de lejos a las víctimas. En mi desaliento tenía, sin embargo, la esperanza de que a finales de agosto sería capaz de entender cuanto quisieran contarme los locutores de noticias de las dos cadenas. Y podría disfrutar de los matices de las voces de mis actores predilectos, que eran, por descontado, de habla inglesa.

La esperanza de adquirir esas competencias lingüísticas me había devuelto ganas e ilusión. Jennifer, que es mi mejor amiga aunque mi relación con ella no sobrepasa, en general, el horario de oficina, me decía con su particular humor que una puede convertirse en amante de una lengua y que esa circunstancia amorosa revierte en nuevos bríos. Era cierto. Pensaba que si por fin me veía con ánimos de hablar inglés, mi autoestima, muy mermada desde hace siete años —desde que mi marido me dejó por un *mosso d'esquadra,* tras salir ambos del armario, y se fue con él a Sitges, donde montaron un restaurante—, aumentaría un tanto y me permitiría afrontar con nuevos ímpetus otro duro año de trabajo, con la esperanza del ascenso prometido: pasar a adjunta de dirección de la zona barcelonesa del litoral, cuya demanda inmobiliaria es sobre todo de extranjeros.

A usted, que domina lenguas, mi obsesión puede parecerle absurda y quién sabe si no pensará que soy un caso clínico, una maníaca impulsada por una extraña fijación idiomática. Tal vez. Sin embargo, junto a estas notas trataré de que la propia Jennifer le haga llegar una página del periódico *El País* que ella misma recortó para mí, pocos días antes de mi viaje a Inglaterra, en la que se da cuenta de que un empresario de la comarca de la Selva legó a la Generalitat de Cataluña una millonada de euros con el objeto de que fueran destinados al fomento del aprendizaje del inglés entre los jóvenes del entorno. Trataba de evitar así lo que le había ocurrido a él, que, pese a su gran fortuna amasada en el extranjero gracias a las inversiones en terrenos venezolanos que resultaron ser yacimientos petrolíferos, se sentía frustrado porque no sabía inglés. Una carencia que había marcado su vida y la de su testamento. Si eso le ocurrió a Joan Riera de Santa Coloma de Farners —el nombre se me quedó grabado, no en vano me pareció un alma gemela, lástima que ya en la gloria—, bien podía pasarnos lo mismo a tantos otros aunque no fuéramos noticia ni hubiéramos hecho fortuna.

En fin, como le decía, desistí de la tele y del cine en versión original y me dediqué con ahínco, el Jueves y el Viernes Santo, a rebuscar por los altillos de casa los viejos libros de inglés de mi remota adolescencia, cuando me propuse estudiarlo con poca constancia y, por supuesto, éxito nulo, para tratar de recuperar al menos los primeros rudimentos: cuatro saludos, cinco verbos y seis pronombres...

Di con el viejo método Assimil, con disco incluido, un fósil que acaricié con nostalgia. Era de mi padre, que también se sentía predispuesto hacia esta lengua y que cada octubre solía anunciar solemne: «De este año no pasa. Este año me matricularé en una academia de inglés». Murió, el pobre, durante el mandato de Richard Nixon, cuyo nombre fue lo máximo que consiguió pronunciar en inglés. Encontré también una gramática algo más moderna que repasé y hasta entendí porque las explicaciones estaban en castellano. Pero en cuanto se lo comuniqué a mi futura profesora, me reprendió mucho. Si de verdad quería aprender inglés, tenía que hacerlo de manera directa y absoluta sin apoyo en ningún otro idioma. Me recomendaba que me comprara un buen diccionario, que no fuera bilingüe, por descontado. Y así lo hice. Me pasé los días de Semana Santa que aún me quedaban —tres en total, ya que el Lunes de Pascua es festivo en Cataluña— metida entre las páginas de aquel enorme mamotreto, sumergida en él, como en una especie de charca embarrada, no de piscina, puesto que las palabras incomprensibles tiraban de mí hacia el fondo y me ahogaba. Nada hay más triste que un diccionario incomprensible. Contiene en potencia un mundo a nuestro alcance y resulta, sin embargo, indescifrable.

Los esfuerzos de aquel fin de semana largo me dejaron exhausta y decidí abandonarlos, no podía incorporarme al trabajo en tal estado de agotamiento. De nuevo escribí a Grose para decirle que aquel sistema no me iba, que me diera otras opciones. Recibí una contestación un tanto burlesca: busque en algún lugar un reproductor de vinilo y comience por *my taylor is rich*. «No le arriendo la ganancia», advertía en un castizo español.

Estaba claro que el método Assimil había quedado obsoleto y que por ahí tampoco conseguiría nada, pero me molestaba que Grose se permitiera el lujo de ironizar sobre ello. Además, se trataba de un legado familiar. Se lo hice saber y me respondió por una vez al instante: si creía que sus directrices no eran las adecuadas, si no tenía confianza en sus puntos de vista pedagógicos, podía devolverme el dinero y escoger a otra/o y Santas Pascuas.

Horrorizada le pedí que no lo hiciera y hasta creo que le supliqué que se quedara conmigo, pues no resistía pensar en el fracaso de acarrear un año más con la terrible carencia y la frustración añadida de tenerme que quedar en

Barcelona durante el mes de agosto. Mi prima, enfadada conmigo por el plantón, viajaba a Islandia con una amiga y estaba segura de que no querría ni oír hablar de que yo me reuniera con ellas. Y yo no estaba de humor para apuntarme en el primer *forfait* en el que todavía quedaran plazas.

Maestra en los efectos psicológicos, ahora me doy cuenta y hasta qué punto, Grose no se dio ninguna prisa en contestarme. Lo hizo una semana más tarde, tranquilizándome, eso sí, y diciéndome que no me preocupara. Cualquier aprendizaje de idiomas requiere tiempo y yo, por el momento, estaba demasiado atareada. Debía esperar a agosto. Pero entonces tendría que comprometerme a aceptar sin rechistar su plan de inmersión total que, me lo advertía por adelantado, iba a ser duro. Pero ése era el único camino válido si quería regresar a España pudiendo desenvolverme ante los clientes con una cierta soltura. Sólo me cabía esperar.

Ni los atentados de julio, tan terribles, tan absurdos y bárbaros, hicieron tambalear mi decisión. Sin embargo, por aquellos días se me ocurrió pensar que Grose podía estar entre las víctimas. Cierto que su casa quedaba lejos de Londres pero quién sabe si habría bajado a la ciudad para cualquier compra, recado o visita. Si era así, adiós inglés. La escribí de inmediato preguntándole por su salud y dándole el pésame por el desastre: también nosotros los espa-

ñoles, no sólo los ingleses, estábamos conmocio-
nados.

El correo esta vez me fue devuelto por
problemas con el servidor, pensé que quizá a
consecuencia del colapso. Igual que yo, familiares y amigos, desde cualquier parte del mundo,
trataban de comunicarse con los suyos. Volví a
intentarlo varias veces sin éxito hasta que cuatro
días después conseguí que no me lo devolvieran.
Al cabo de una semana Grose me escribió que
estaba bien, que no se encontraba en Londres el
7 de julio, aunque casualmente tenía previsto ir
por aquellas fechas. Una indisposición de estómago de lo más oportuna se lo había impedido.
Ella solía moverse en metro por Londres y quién
sabe si ahora no estaría entre las víctimas y yo
«compuesta y sin novio», añadía, utilizando esas
frases hechas que tanto le gustaban, según me dijo después, la muy mentirosa, aprendidas de su
ex marido, hijo de un brigadista internacional
procedente de Londres y de una madrileña castiza, y al que ella había conocido en su primer
viaje a España, en 1964. En este mismo correo
me anunciaba que pasaría el mes de julio fuera
con su vieja amiga Katty, a quien iba a ver a su
casa de Escocia. Estaría de regreso a finales de
mes para prepararlo todo para mi llegada.

Le pedí las últimas instrucciones por si,
por cualquier cosa, no conseguía comunicarme
con ella antes de emprender el viaje a Londres.
Le anoté mi número de móvil pensando que me

daría el suyo. Pero me contestó que no tenía celular. Nunca lo había usado y deseaba seguir así el resto de su vida. No me atreví a pedirle el teléfono de su amiga ya que ni siquiera me había dado el de su propia casa. Quizá para contrarrestar esa falta de información parecía que se hubiera desvivido, en cambio, por ofrecerme hasta los más insignificantes detalles relacionados con mi llegada: la posibilidad de tomar el *tube* (metro), más rápido, o el *airbus,* un poco más lento, pero quizá más cómodo y sin escalas, de Heathrow a Londres; el importe del billete de ambas modalidades; el tiempo exacto que habría de tardar, el número de paradas que había desde el aeropuerto hasta Gloucester Road, donde me recomendaba que hiciera el transbordo de la línea *blue* a la línea *green,* que me llevaría hasta la estación Victoria, si escogía el metro. También podía tomar un taxi, algo que no me aconsejaba ya que resultaba bastante caro. Añadía además el horario de trenes que iban de Londres a Ledbury, precios en primera y segunda clase, nombres de los pueblos por los que habría de pasar antes de llegar al suyo, donde ella me recogería. La estación era pequeña y no había pérdida. Allí la encontraría con una gramática inglesa en la mano. No debía preocuparme por los posibles retrasos. Esperaría las horas que fuesen necesarias. Entre tren y tren aprovecharía para hacer compras y recados que siempre le quedaban pendientes en Ledbury.

3.

La persona que se me acercó al bajar del tren preguntándome en inglés si Laura Prats era yo no recordaba en absoluto a la de la fotografía. Era, eso sí, carirredonda, agarbanzada; sin embargo el pelo canoso y alborotado, la mirada oscura, más inquisitiva que bonachona detrás de unas gafas de montura exótica, la hacían muy diferente a la de la imagen que exhibía su página web propagandística. Pero más que su cara llamaba la atención lo fornido de su corpachón. Sus anchas espaldas y abultada tripa le daban un aire muy masculino. Vestía sin ninguna gracia una especie de chándal de un color indefinido entre grisáceo y azul y calzaba unos zapatones deportivos. Su voz grave también resultaba bastante varonil. Quizá era una de esas personas para quienes la ropa sirve únicamente para cubrirse el cuerpo. Yo, en cambio, a pesar de que había seguido su consejo al preparar el equipaje y casi todo era *casual,* llevaba un traje pantalón elegante, comprado para la ocasión en Toni Miró, y el collar de perlas de mi madre que siempre me había traído suerte —o eso creía yo hasta aquel momento—. Debo de parecerle una señoritinga empingorotada, pensé, cuando me dijo que no me había imaginado así «ni por pienso»; me lo dijo en inglés, y luego al ver que no lo entendía, tradujo lo que acabo de anotar. Tras los primeros saludos y cumplidos —estrictos por su parte— quiso cargar ella con mi equipaje desoyendo mis ruegos de que yo podía arrastrarlo sola de sobra. La verdad es que levantó la maleta, que había pesado 18,800 kilos en el mostrador de British del Prat, como si hubiera cogido una pluma. Sin apearse del inglés me preguntó cómo me había ido el viaje y si quería tomar algo antes de salir hacia su casa, Four Roses, a una hora en coche del lugar. O por lo menos eso me pareció entender. Le contesté en castellano que, excepto un leve retraso en el despegue, todo había sido estupendo gracias a sus directrices —verdaderamente exactas— y que no estaba ni cansada ni hambrienta. Tampoco tenía sed. De manera que podíamos irnos cuando gustase.

Hicimos un mínimo recorrido desde el hall de la pequeña estación hasta su coche, aparcado al otro lado de la calle, ella delante, en funciones de guía-sherpa, y yo unos cuantos pasos detrás, un poco aturdida por su voluminosa presencia. Comprendí entonces que prefiriese no exhibirse de cuerpo entero en su página web porque quizá eso podía inhibir a algunas personas, especialmente si eran hombres bajitos.

El coche era un viejo todoterreno desvencijado y enorme perfectamente adecuado al estilo de su dueña. Tuvo que reorganizar el maletero repleto de herramientas de jardín y paquetes de pañales —lo que me hizo suponer que la pobre, como demasiadas mujeres de su edad, tendría serios problemas de incontinencia— para que cupiera mi equipaje. Me encaramé como pude en el jeep —soy más bien bajita y paticorta—, tratando de evitar que Mrs. Grose tuviera que empujarme por el culo con el consiguiente ridículo, y me acomodé, casi en el borde del asiento, tras comprobar que de otro modo los pies no me llegarían al suelo. Como el cinturón se había salido de su enganche no tuve que atármelo. Me limité a ponérmelo como si de una banda de honor se tratara. Mejor, me dije para mis adentros, sintiéndome menos aprisionada.

Grose me preguntó si ya estaba lista. *Are you ready?*, dijo, y me sentí feliz de haberla entendido, por una vez. Contesté que *yes, yes,* y puso el motor en marcha. Arrancamos con estrépito de latas descuajaringadas y estertores de máquina preagónica.

El día, que en Londres era mustio y feo, había ido mejorando a medida que nos alejábamos de la ciudad. Y aunque volvió a lloviznar cuando pasábamos por Hereford, cerca ya de Ledbury, ahora acababa de salir el sol. Mientras en el cielo se deshacía un arco iris, entre los árboles recién lavados penetraba la palidez de la tarde. Detesto la luz fuerte y tal vez por eso me gustaba aquel paisaje tenue y lo tomé como un buen augurio. Me sentía feliz camino de mi meta.

La señora Grose echaba una larga parrafada de la que yo nada entendía, mientras girábamos hacia una carretera sin apenas tráfico. Le supliqué que hasta el día siguiente tuviera la amabilidad de hablarme en español.

—De acuerdo —dijo—, pero sólo hoy. En cuanto mañana empecemos quedará terminantemente prohibido decir una sola palabra en otro idioma que no sea inglés. De lo contrario, se arrepentirá...

Su tono amenazante me sobrecogió un poco.

—Gracias —conseguí balbucear—, intentaré poner todo el empeño posible por mi parte —añadí, con voz casi sumisa.

—Más le vale —sentenció como único comentario y soltando una carcajada irónica que me permitió ver sus dientes, colmillos y hasta los premolares, color de hueso viejo. Me fijé casi sin darme cuenta, quizá por antigua deformación profesional, ya que de jovencita trabajé como ayudante de enfermera en casa de un dentista.

El coche, pese a ser una auténtica carraca, andaba deprisa. Vi en el cuentamillas que iba a mayor velocidad de la permitida, según una señal de tráfico que acabábamos de dejar atrás; eso y el hecho de conducir por la izquierda me empezaron a poner nerviosa. Aunque había estado varias veces en Londres me daba cuenta de que me sería difícil acostumbrarme a los hábitos del país.

Como si me leyera el pensamiento, Grose me advirtió que corría un poco ahora que podía porque en breve tendríamos que dejar la carretera y adentrarnos por un camino sin asfaltar, casi campo a través, hacia una zona boscosa prácticamente salvaje, y entonces habría que ir muy despacio. De lo contrario se romperían los amortiguadores y nos quedaríamos tiradas, Dios sabe hasta cuándo, porque por aquellos parajes apenas pasaban coches.

En efecto, durante aquel trayecto no nos cruzamos con vehículo alguno ni vimos a nadie. Las únicas construcciones que se divisaban a lo lejos, más que casas parecían establos abandonados o refugios de cazadores. Cuando el paisaje se hizo menos abrupto pude observar algunos rebaños de ovejas pastando, señal de cercanía humana. Pero pronto la vegetación volvió a enmarañarse. Tras una última zona boscosa apareció un pueblo semiderruido, abandonado. Lo único que parecía quedar en pie eran los muros de la iglesia y algunas tumbas del cementerio.

—Un buen lugar para fantasmas —dijo Mrs. Grose, haciendo sonar el claxon al pasar por delante de las lápidas—. Es para que se aparten, por si acaso... Y para saludar a Jeremy. En verano suele guarecerse en alguna tumba... A veces se deja caer por Four Roses para ganar unas libras arreglando el jardín. Es inofensivo, un poco retrasado y borrachón. Pero sólo arma jarana cuando está bebido, entonces sí. Insulta y amenaza a todo el mundo, aunque suele preferir a los del Gobierno... Suele tomarla con Mrs. Thatcher, fue minero...

No sé si puse cara de miedo al oír tales referencias, pero sí debo confesar, en honor a la verdad, que las posibles visitas de Jeremy no me hicieron ninguna gracia.

—No será usted miedosa, ¿verdad? Quizá debiera haberle advertido que viviremos solas, muy alejadas del mundanal ruido... Como dicen ustedes en español, o al menos así lo decía el idiota de mi ex marido.

Me sorprendió que ante alguien desconocido como era yo, Grose pudiera referirse así a su ex marido, por muy idiota que fuera. Pareció percatarse de mi estupor.

—Era tan idiota, tan maleducado —añadió—, que se quitaba la dentadura postiza y la depositaba con las monedas y el reloj en el escáner del aeropuerto. Imagínese, querida, el bochorno que me hacía pasar... No será usted de las que llevan dentadura postiza, ¿verdad?

—No, unos implantes —contesté, perpleja por lo directo de la pregunta desacostumbrada; y sintiéndome en la obligación de decir la verdad añadí—: Es lo más valioso que llevo encima —puesto que me habían costado más de seis mil euros.

—Bueno. Eso es distinto. No soporto a la gente con dentadura postiza, al comer hacen un ruido raro, como de metal, y la mueven al hablar... No y no. Tendré que añadirlo en el cuestionario. El idiota de mi ex marido era capaz de dejársela en cualquier lugar. Una porquería. Recogía la mesa y allí junto a los cubiertos... ¡Qué asco! Terrible... Un horror. Pero ya se fue y no creo que vuelva. No creo que se atreva a molestarnos, ahora que sabe que no estoy sola, que tengo visita, que ha venido usted...

Fue en aquel momento cuando, por primera vez, tuve la sensación de que había metido la pata. Sólo a alguien tan o más imbécil que el ex marido de mi profesora se le podía ocurrir, sin tener ninguna información más que la ofrecida por ella misma en su web, sin ningún aval de institución o garantía de centro intermediario, dar por buena la oferta de unos cursos. ¿Quién me aseguraba a mí que la tal Grose estaba en sus cabales? Y si lo estaba, se trataba, sin duda, de una persona peculiar con la que tal vez no iba a resultar fácil la convivencia.

Mi ex marido era también bastante imbécil, pero yo hubiese sido incapaz de referirme a él de aquel modo, con la desfachatez con que lo había hecho Grose aludiendo al suyo. Le pregunté por qué le molestaba. Y me contestó que era uno de esos hombres que no soportan estar solos, que no aguantan la separación, que, en su caso, había pedido ella. Estaba celoso y por eso la amenazaba. No me atreví a preguntarle nada más. Me sentía inquieta y con miedo, a tenor de las visitas que podían comparecer. Si, en efecto, estábamos solas no sería muy agradable alternar con Jeremy y sus vapores etílicos o asistir a un más que previsible altercado entre el imbécil del ex marido con o sin dentadura postiza y Mrs. Grose.

Sin embargo, en cuanto llegamos a la casa y vi a los perros me tranquilicé. Eran dos mastines negros y un cócker de color amarronado que se acercaron a Grose para darle la bienvenida con mil demostraciones de alegría y me husmearon a mí. Creo que ella me presentó porque pude entender mi nombre entre las palabras que les dirigía en un tono de voz peculiar, como si hablara con niños y tratara de remedar su media lengua.

—Son inofensivos —dijo—, ya lo ve, excepto cuando les ordeno que no lo sean, vigilan bien y eso da seguridad. ¿Verdad, perritos guapos, que sois muy buenos y obedecéis a mamá?

Los perros parecían asentir, con rápidos movimientos de rabo. Noté a Grose mucho más relajada que al volante, quizá era una de esas personas a las que el coche pone nerviosas.

El emplazamiento de Four Roses era verdaderamente precioso. Las fotografías no le hacían justicia porque con haberme parecido muy encantador, al natural resultaba aún mucho más espléndido. La casa estaba rodeada por un gran jardín inglés, con diversas variedades de rosales, quizá por eso alguien había bautizado la propiedad aludiendo a sus flores. El piso principal se abría a un porche con cenador y en el primero y en el segundo había seis balcones enormes. Fuera olía divinamente, a campo y tierra mojada, y dentro a barniz de cera y a limpieza.

Mi habitación, adonde Mrs. Grose se empeñó en subirme la maleta, era, en efecto, la que yo había visto en la fotografía. Enorme y cómoda, tenía un baño incorporado —producto de una reforma no demasiado antigua— y un vestidor que comunicaba con un gran armario de obra, en el que, como si de otro cuarto se tratara, había que entrar para poder colgar la ropa. El balcón daba sobre el porche y desde allí se divisaba el bosque de hayas con el que lindaba el jardín. Los tonos verdes de la tarde apaciguaron mi ánimo. Me sentía a juego con el paisaje pues también iba vestida de verde pastel.

La señora Grose me dejó sola para que pudiera deshacer el equipaje con tranquilidad, y me aseara o me cambiara de ropa si me apetecía. Cuando yo quisiera me enseñaría la casa. Colgué los trajes, metí el resto de mis pertenencias en los cajones de la cómoda, me duché y, dispuesta a recorrer la mansión, bajé al piso principal, con la maleta vacía en la mano para que Grose la guardara en el trastero, como me había dicho. Estoy acostumbrada, a causa de mi empleo en la inmobiliaria, a visitar chalés de alto *standing,* villas aparatosas, lujosos pisos modernistas de aquellos que invitan a tener serpientes en vez de perros como animales de compañía y hasta masías con torres de defensa, pasadizos secretos y capilla, pero nunca había puesto los pies en un edificio privado de tanto empaque. Era inmenso, con quince habitaciones, cinco salones, sala de música y juegos, además de biblioteca. Tal vez le faltara algún arreglo —una mano de pintura aquí o allá, algún remozamiento en cocina y baños—, pero estaba «para entrar a vivir», como nosotros solíamos hacer constar en los anuncios, por lo menos la planta noble y la que yo ocupaba. La segunda, en la que Mrs. Grose tenía su dormitorio, que no me enseñó con la excusa de que estaba desordenado, parecía en peores condiciones, aunque no pude verla entera, únicamente la sala de juegos con un hermoso billar de caoba.

—¿Le gustaría que echáramos una partida? Soy buena, ¿y usted?

—No tengo ni idea —le dije—, nunca he cogido siquiera un palo... En España las mujeres no tenemos costumbre...

—Ni aquí, pero a mí me gusta. Si se porta bien, le enseñaré algún truco, cuando sepa bastante inglés, *of course...*

Subimos al tercer piso, al que me permitió acceder sin restricciones e incluso me abrió uno de los cuartos cerrados desde hacía tiempo, lleno de polvo y de telarañas, para que pudiera contemplar desde allí las mejores vistas. Tuvo que luchar con los pasadores oxidados de las ventanas, que, finalmente, fueron vencidos por su fuerza. Le agradecí el empeño porque el paisaje que se divisaba desde allí era aún más hermoso.

El resto de cuartos, al igual que los desvanes y sótanos, me fueron vetados, algo normal, que no me hubiera preocupado en absoluto si no hubiera sido porque Grose insistió en que de este modo me incitaba a sospechar que la casa tenía sus misterios y puso énfasis en el plural. No tan sólo, dijo, porque allí, en el primer piso, en mi cuarto, se hubiera cometido en el siglo XVIII un crimen muy sonado: degollaron a la joven esposa de Lord Havelant, antepasado de su familia, y acusaron, parece ser que sin pruebas, a su hijastro, que murió en el patíbulo; sino también porque en el siglo XX, en la década de los cincuenta, la Sociedad Espiritista de Londres, a la que pertenecía su tío, Lord Thames, había celebrado una de sus reuniones anuales en la biblioteca, declarando el lugar como uno de los más proclives de Inglaterra para la comunicación con los espíritus de las personas que habitan el más allá. A pesar de que ella no creía demasiado en estas cosas, sí las respetaba.

—¿Desearía usted comunicarse con algún pariente o amigo difunto? —me preguntó.

—No —le contesté, tímidamente—, no, yo sólo deseo aprender inglés, a eso he venido, Mrs. Grose.

—Quién sabe si los espíritus no se lo enseñarían —puntualizó riendo—, quizá hasta mejor que yo.

Me sentía un poco sobrecogida. ¿Qué pretendía? ¿Asustarme? ¿Burlarse de mí?

—No tendrá miedo, ¿verdad? No pretendo en absoluto asustarla, créame, señorita Prats.

Y pronunció eso de señorita Prats con un retintín irónico, tal vez porque yo la llamaba a ella Mrs. Grose.

—No —contesté—, de los difuntos no tengo ningún miedo. De los vivos, ya es otro cantar —añadí también yo con ironía.

—No se preocupe —advirtió conciliadora—. Nadie es perfecto. Los misterios tienen sus ventajas. Dan que pensar, ¿no cree? Tienen su aquel... Además, en su caso, es un plus añadido. ¿No le parece? Cuando regrese tendrá algo más que contar a sus amigos. En inglés, por descontado...

Se me ocurrió en aquel momento preguntarle por la limpieza. ¿Quién se encargaba de mantener todo aquello en condiciones? Con qué servicio contaba... La casa era inmensa, no podía ser que ella sola...

—Buena asociación —dijo sin dejarme terminar—. ¿A que se ha acordado usted de *Rebeca* y de *Jane Eyre*? ¿No es así? Con lo bien que me vendría un ama de llaves. Limpio yo, para mi desgracia, ayudada por Mary Doloson. Cuidó de mi tía y en invierno vive aquí, ahora está de vacaciones... Una vez por semana, los sábados, vienen las hermanas Johnson, de Blend Road, un pueblo que queda a diez millas en dirección opuesta a Ledbury, con Jeremy cuando está sobrio, para una limpieza general... Por eso, querida, tendré que pedirle que se haga la cama y cuide usted misma de lavarse la ropa... La lavadora está en el sótano en un cuarto de máquinas. Se lo enseño después, ahora vamos a tomar el té.

Bajamos al piso principal. La escalera forrada de madera crujía bajo nuestros pies, en especial bajo los de Grose. Las paredes de la planta noble estaban cubiertas de cuadros de antepasados, supuse que del tío de Mrs. Grose, gente seria y circunspecta, y de paisajes de campiñas inglesas por donde cruzaban apresurados jinetes. Los muebles eran solemnes y antiguos. Había flores secas en jarrones tallados y una gran colección de soldados de plomo repartida en diversas vitrinas, la afición predilecta de Lord Thames, que después de su muerte, a mediados de los sesenta, continuó su esposa. Una colección valiosísima que Mrs. Grose no tendría más remedio que vender si quería conservar la casa y remozarla. Deambulando por aquel entorno Grose me pareció distinta, menos caballuna, aunque eso en Inglaterra debe de ser un piropo. Entre tantas antigüedades adquiría un cierto empaque aristocrático, cosa, por otro lado, no sé si muy meritoria en un país con la familia real más hortera de la Tierra.

En la biblioteca, que contenía incunables y otras ediciones muy valiosas, primeras ediciones recalcó, sirvió el té con canapés exquisitos, excusándose por la hora de retraso. La puntualidad era, a su juicio, una cualidad fundamental irrenunciable. En adelante lo tomaríamos a las cinco *o'clock*. En mi reloj eran las seis de la tarde del lunes 1 de agosto de 2005, primer día de mis vacaciones y de mi curso de inglés. Creo que hasta que me muera voy a acordarme de esa fecha.

4.

Durante los primeros días las clases se desarrollaron con bastante normalidad. La monotonía del horario cumplido a rajatabla, de nueve a diez gramática, de diez a once ejercicios, de once a doce conversación, parada para el *lunch,* servido y digerido en inglés, naturalmente, de dos a tres lectura en silencio, de tres a cuatro lectura en voz alta —que a veces tomaba más tiempo dado que mi pronunciación era y es detestable—, de cuatro a cinco ejercicios, té a las cinco, de seis a siete repaso de lo visto durante el día, hubiera acabado ya de buenas a primeras con cualquiera que no tuviera mi empeño. Debo consignar ante todo que Grose era una profesora excelente. Explicaba de un modo sencillo y claro en inglés, por descontado, y trataba de encontrar frases cortas —patrones exactos, los llamaba— que sólo contuvieran palabras fáciles y ya vistas en las unidades didácticas precedentes. Yo creo que, en efecto, tenía mucha experiencia en ese campo, y a ella le debo la iniciación que durante estos meses —estamos ya en octubre— me ha permitido afianzarme en el idioma, aunque el precio que he tenido que pagar por ello haya sido el más alto que jamás hubiera podido llegar a imaginar.

Nunca he dado clase pero supongo lo aburrido que tiene que ser repetir lo mismo infinitas veces, como hacía ella conmigo, con la paciencia del Santo Job, puesto que al principio no conseguía olvidarme de algunos lejanos rudimentos mal digeridos y conjugaba con el auxiliar *do* en forma interrogativa las oraciones con el verbo *to be,* o trataba de iniciar una frase en orden distinto al que exige la férrea disciplina gramatical inglesa. Algo que sacaba de quicio a Mrs. Grose y a mí me ponía del revés. Porque ¿qué más daba decir *«the dog followed the cat»* o *«followed the dog the cat»*?, por poner un ejemplo de los suyos, que le servían para insistirme machaconamente que en inglés el sujeto siempre precede al resto de elementos gramaticales en las oraciones afirmativas y negativas y eso ayuda al buen entendimiento y a la seriedad del trato interpersonal, lo mismo que la colocación estricta de los adjetivos: en primer lugar la forma, luego el color, después el origen y por último el material. *«Round, yellow, italian, gold»,* me repetía yo, tratando de meter en mi cerebro referencias que pudieran ayudarme, redondo, amarillo, italiano, oro..., forma, color, origen, material..., que en absoluto fueron del gusto de Grose, que me dio una alternativa diferente y trató de que la memorizara: *«They're big friendly black dogs»,* una frase muy fácil que, con mirar a sus perros, salía de corrido. Ellos son grandes, amistosos perros negros... y no perros negros grandes, amistosos... o perros negros amistosos, grandes...

Me sentía ridícula repitiendo una y otra vez la misma frase acerca de los perros. Tal vez para que me desinhibiera, ella ladraba, lanzando un guau, guau, guauuu festivo, cuando consideraba que la había pronunciado bien, tratando de poner algo de humor en aquel aburrido tormento, aunque a mí todavía me pareciera más burlesca su actitud para conmigo. A menudo tenía la impresión de que se reía de mí, puesto que me obligaba a repetir las palabras primero a toda velocidad y después lentamente, exigiéndome que las deletreara, algo muy necesario en inglés, advertía, ya que, muy a menudo, se confunden los sonidos. Yo intentaba llevar con paciencia esos abusos aunque estoy segura de que se me notaba la rabia que me producían. Y confieso que me venían ganas de estrangularla, en especial cuando me acusaba de mentirosa. «*It's not true*», me decía, tratando de ser cortés pero rezumando mala leche. Según ella, yo mentía continuamente, puesto que contestaba a sus preguntas con datos falsos. «*How old are you?*», preguntaba. Y yo: «*I'm seventy years old*» o «*I'm twelve years old*». ¿Qué más daba? Pasaba luego a otra cuestión igualmente sencilla: «*Where are you from?*», interrogaba. «*I'm from Japan*», o «*I'm from Australia*». ¿Qué importancia tenía responder con lo primero que se me pasara por la cabeza? Me parecía que si desde el punto de vista gramatical mi respuesta era correcta, poco importaba que yo hubiera nacido en el Japón o en Australia, tuviera setenta o doce años, fuera concertista de violín o rubia platino, en vez de española, de cuarenta y nueve años, empleada de una inmobiliaria y con el pelo color castaño.

A tenor de las reprimendas de Grose traté de acomodar mis invenciones a una realidad más asumible, aunque no dejé de mentir por puro placer. Los interrogatorios lingüísticos a los que me sometió durante aquella primera semana, necesarios para las prácticas, pronto se me antojaron policiales y quizá por eso, no sé en aras de qué atavismos de libertad, intenté zafarme en lo posible, aunque ella parecía darse cuenta y a menudo negaba con contundencia. «No y no, usted no esquía los inviernos en Suiza, ni ha viajado a la Antártida jamás, ni se ha casado dos veces... *It's not true!*», repetía enfadada golpeando la mesa con sus manazas de campesina y mirándome como si me mandara al infierno. Pero fuera de eso, fuera de esos momentos de furia provocados también, en parte, por mi mal oído y mis escasas entendederas y, en parte, por el deseo de no apearme del burro y tener que contar sólo la verdad, Mrs. Grose trataba de comportarse de un modo correcto y hasta diría que amable, interesándose por si me gustaba la comida, si dormía bien y hasta ofreciéndome una carta de almohadas como hacen en algunos hoteles de lujo. Ciertamente, en cuanto al *bed and breakfast* no tenía ninguna queja —si deseaba convertir el caserón en un establecimiento de ese tipo en cuanto le dieran los permisos de obras y encontrara un socio decidido a apostar en la envergadura de aquel proyecto, según me confesó el primer día, yo le servía de conejo de Indias.

La comida, a base de *roast beef,* ensaladas, alguna sopa de legumbres, *cakes* y mermeladas fabricadas por Mary Doloson bajo su atenta vigilancia, era discreta, aburrida y abundante. Con excepción del horrible postre de melocotones calientes al que ya aludí, no estaba mal, incluso se merecía un aprobado alto. En cambio, a mi cuarto, comodísimo, le hubiera dado matrícula de honor. Los primeros días dormí a pierna suelta sin nada que me perturbara. Los espíritus debían de estar de vacaciones puesto que ningún ruido consiguió despertarme, y eso que tengo el sueño ligero; en consecuencia, por muy sigilosos que anduvieran estoy segura de que habría percibido, por el crujido de las maderas del piso, el rumor de sus pasos en la madrugada, horas en las que los expertos en materia de fantasmas suelen considerar que se manifiestan. La sensación de inquietud y el miedo casi inconsciente que Mrs. Grose, con sus alusiones a los misterios de la casa, me había provocado se habían desvanecido en cuanto comprobé que la puerta de mi habitación, cuya cerradura no tenía llave, podía asegurarse por dentro con un grueso pestillo.

Tampoco el recuerdo del crimen cometido en mi cuarto fue capaz de quitarme el sueño que yo incitaba con pastillas, dicho sea de paso. Quizá por eso desde la noche de mi llegada hasta la del jueves dormí de un tirón ocho horas y hasta creo que me recuperé del cansancio acumulado en los últimos tiempos. Lo que sucedió después de aquel jueves 4 de agosto, eso es, como diría Grose que hubiese dicho el imbécil de su ex marido, «harina de otro costal».

Pero vayamos por partes, aquel jueves Grose me anunció que todos los viernes por la tarde me sometería a un examen. De la nota que sacara dependería la posibilidad de «librar» durante el fin de semana. No olvidaba que le había pagado por adelantado la excursión a Cumbres Borrascosas ni que durante uno de los *dinners* le había manifestado mi deseo de ir a Londres para revolver en los mercadillos de antiguallas. Soy aficionada a coleccionar cajas de latón y estaba segura de que allí podría encontrarlas a precio asequible. Me pareció un poco exagerada la imposición de Grose, que me tomé a broma. Me recordó mis años escolares, cuando las monjas castigaban la falta de interés con horas suplementarias de estudio y premiaban nuestros logros. Sólo las muy aplicadas eran invitadas a una excursión dominguera que tenía lugar cada trimestre y a la que nunca fui. Soy poco dada al estudio, y no sólo ahora que soy mayor, sino que ya de pequeña mi memoria dejaba bastante que desear. De manera que tenía que esforzarme mucho para aprender al ritmo impuesto por Mrs. Grose, que, por otro lado, y según ella, no era otro que el habitual para personas normales, con un coeficiente de inteligencia medio, y no la tortura que yo le había echado en cara después de enzarzarnos en una discusión bastante agria que venía del día anterior.

Fue la tarde del jueves cuando nuestra relación comenzó a enturbiarse o quizá mejor, remedando a Grose, cuyo español era mejor que el mío, en especial por lo que al uso de las frases hechas se refiere, a hacer aguas. Inflexible en lo que respecta a no pronunciar ni una sola palabra en otro idioma que no fuera el inglés, me oyó hablar con Jennifer, a la que llamé mientras paseaba por el jardín antes de la cena, uno de los pocos ratos que Grose me daba de tregua y que yo solía utilizar para estirar las piernas. En efecto, había llamado a Jennifer para contarle mis progresos y decirle lo agradecida que le estaba por haberme ayudado a conseguir aquel intensivo. Traté de ser lo más optimista posible y le aseguré que tanto Grose como el lugar eran estupendos y que me sentía feliz y segura de que a partir de septiembre ya no tendría que avergonzarme de no saber inglés. Jennifer, que estaba en Alicante, compartiendo con marido, niños y suegra un apartamento de cuarenta metros, me aseguró que me envidiaba mucho. El calor era horrible, el mar estaba sucísimo, la playa atiborrada, los niños pesadísimos, la suegra insoportable, y el marido, pasando de todo, como siempre. Ojalá ella no supiera inglés para venirse conmigo. Pero, en fin, no quiero perder el hilo de lo que le contaba con comentarios ni andarme con digresiones. Justo había terminado de hablar con Jennifer cuando Grose se me acercó.

—*Can you give me the cellular, please?* —me dijo.

Pensé que quería ver cómo era o quizá llamar. Ella, según me había asegurado, no tenía móvil y, pese a utilizar Internet, lo hacía siempre fuera de casa, en algún cibercafé. En efecto, no parecía dada a los inventos de la modernidad. Por otro lado, aunque se me antojara inverosímil, la casa, según me aseguró, carecía de teléfono, algo que me extrañó muchísimo y que incluso consideré peligroso en aquel aislamiento. Sospeché que quizá el aparato estaba en las habitaciones en las que no me permitió entrar y entendí que no debía de querer que lo usara quizá temerosa del coste de las llamadas internacionales.

—*Thank you* —me dijo, metiéndose el móvil en el bolsillo de su astroso chándal—, *I will give it back to you when you leave for Spain at the end of the course* —me dijo.

Al principio creí que la confiscación del móvil era una broma pasajera. Que Grose jugaba a representar el papel de madre superiora del internado puesto que yo me había reservado interpretar el de alumna díscola. Pero no, la cosa iba mucho más en serio.

Antes de subir a mi cuarto, donde quería encerrarme a estudiar —allí me esperaban impacientes un montón de verbos irregulares, las partes del cuerpo humano, los días de la semana, los meses, los saludos, etcétera, etcétera, Dios mío, todos allí para dormir conmigo—, le pedí de nuevo que me lo devolviera. Por si regresan los fantasmas y necesito pedir auxilio, le dije en español.

Se rió, a carcajadas, como solía hacer cuando se ponía estúpida, enseñando sus horribles dientes.

—No hay fantasmas —me contestó en inglés—. Sólo existen para los que creen en ellos y usted, señorita Prats, es una descreída... —me pareció entender.

—La comprendo a medias —dije tímidamente.

—Muy bien, traduzco —concedió, enfadada—, peor para usted. No hay más fantasmas que los propios, los de cada uno... A veces ésos son los peores, ¿no lo cree? Apechugue usted con los suyos...

Dejó la frase en suspenso como si se quedara ensimismada y luego continuó.

—¿No está de acuerdo? ¿Tiene usted otra opinión?

—No —contesté—. *Yes, it is true... You are right...*

—¿Ve? Ha hecho progresos. Muchos en cuatro días. Si mañana aprueba el examen tal vez se lo devuelva —insinuó blandiendo el teléfono en su manaza derecha—. Veremos, lo pensaré... Pero no quiero ni una sola palabra en español. Júrelo.

—Por favor —le supliqué, sintiéndome más que ridícula, casi humillada.

Grose no sólo conseguía rebajar mi autoestima hasta límites inverosímiles sino que además se permitía tratarme como a un párvulo. Para mí el móvil, como para tanta gente, era casi una víscera, un órgano más de mi cuerpo sin el cual ya no sabía vivir, una especie de cordón umbilical que me permitía enlazar con mi país, con mi gente, aunque mis relaciones fuera del trabajo fueran escasas. Además, Grose, dejándome sin móvil, me hacía mucho más vulnerable, ya que el teléfono me daba seguridad. Quitándomelo, me dejaba aún más a su merced.

—*Tomorrow* —insistía ella—, y ahora márchese a estudiar, venga, levántese, sin perder tiempo, un, dos... Si necesita alguna aclaración puede bajar. Yo voy a quedarme aquí un buen rato preparando su examen. ¡Que duerma bien!

Las dificultades idiomáticas con las que me enfrentaba me impedían asegurarle que no estaba dispuesta a quedarme sin teléfono, que aquello era un abuso de autoridad. Que una cosa era que no me permitiera hablar en castellano con ella y otra muy distinta que me prohibiera hablar fuera de las horas de clase con quien quisiera y como quisiera, pero no se lo dije. No podía, me faltaba vocabulario. Me encerré en mi habitación. Sentada en el sofá, intentaba repasar la gramática que me había prestado Grose. También consulté los apuntes, fijándome en las construcciones, en la posición inamovible de los adjetivos y adverbios. Tenía la cabeza como un bombo cuando decidí irme a la cama. Era casi la una. Dormí de un tirón, hasta las cuatro. Lo recuerdo con exactitud porque miré el reloj y me levanté para ir al lavabo. Fue desde allí, desde la ventana del cuarto de baño, desde donde vi a Mrs. Grose fuera, junto a la puerta principal, tratando de aupar a alguien que no podía tenerse en pie. Un instinto extraño me llevó a apartarme de la ventana y a apagar la luz. Pocos minutos después oí el motor del coche arrancando y percibí el ruido de los neumáticos sobre la grava del jardín. Volví a la cama sin poder pensar en otra cosa que en lo que acababa de ocurrir. ¿Quién era? ¿Qué tenía que ver con Grose? ¿Desde cuándo estaba en casa? ¿Qué andaban haciendo a aquellas horas?

Tardé mucho en volver a conciliar el sueño.

5.

Me desperté con los ojos cosidos de sueño en cuanto sonó la alarma de mi reloj de pulsera. Tuve la suerte de contar con ese artilugio ya que, de lo contrario, me hubiera quedado dormida. Grose me había confiscado el móvil, cuyo cocorocó-kikirikí se encargaba de sacarme de la cama a las siete en punto. En parte me compensaba de su pérdida pensar que ese ridículo cacareo insoportable estuviera todavía saliendo del bolsillo de su apestoso chándal, dándole la tabarra.

Me duché deprisa y bajé en busca de Grose, dudando entre preguntarle por el trasiego nocturno o disimular que me había dado cuenta. La curiosidad pudo más y en castellano, porque en inglés no sabía ni por dónde empezar, me referí a ello.

—En español, *ni parole* —me dijo Grose llevándose las manos a los oídos y tapándolos ostensiblemente—. Lo siento, estoy sorda —continuó en inglés—. ¿Qué me prometió ayer? ¿Ya no se acuerda? —lo dijo mirándome en tono festivo pero sin carcajearse como solía, en situaciones semejantes. Después, muy cortés, me preguntó qué tal había dormido y si estaba preparada para el examen—. Reponga fuerzas con un buen desayuno, alimente el cerebro... Anoche...

Soltó una larga parrafada en inglés de la que yo sólo era capaz de entender el sentido general, referencias a que tuvo visitas, a las que necesariamente hubo de acompañar de vuelta a casa, muy tarde.

Me quedé algo más tranquila, a pesar de que me faltaran un montón de frases que no había podido entender, muchísimas palabras cuyo significado desconocía... ¿Había aludido Mrs. Grose a alguien tan borracho que no se tenía de pie y por eso ella lo había tenido que aupar? ¿O quizá a alguien repentinamente enfermo? ¿Por qué no me avisó? Tal vez me lo estaba contando todo B por A y yo entendía de la misa la media, o mucho menos...

La ayudé a sacar al jardín las bandejas con el desayuno. Nos sentamos a la mesa del cenador. Hacía un día glorioso. *Glorious day,* me repetía yo para mí, una y otra vez. Trataba así de obedecer a Grose, filtrando cuanto me rodeaba, sentía o pensaba a través de su idioma, como si éste fuera un inmenso pasapurés. Todavía hoy lo pongo en práctica y no es mal sistema. ¡Dios mío, cuánto me ha costado dar con el quid de esa jodida lengua!

Grose seguía aludiendo a los acontecimientos de la noche anterior y entre las palabras que conseguí descifrar estaba el nombre de

Jeremy, el eventual jardinero. Quizá se trataba, en efecto, de él. Si era así, la intuida explicación de Grose debía tranquilizarme.

Acepté que las cosas habían sucedido de ese modo: Jeremy había aparecido con más alcohol del que era capaz de trasegar y Mrs. Grose se lo había quitado de encima, acompañándole de regreso a su guarida. Por eso los perros no ladraron. Le conocían de sobra...

Terminamos de desayunar y pasamos a la biblioteca, donde yo debía rendir cuentas de mis progresos, recuperar el móvil y hacer méritos para poder librar, por lo menos durante dos días y medio, lejos de Mrs. Grose.

Comenzamos con un dictado tomado del *Times* del día anterior, algo que me sorprendió pues no se recibía prensa en Four Roses y desde mi llegada no había aparecido nadie por allí excepto la persona de ayer.

El *Times* del jueves 4 de agosto no parecía lectura apropiada para el tal Jeremy, el bobo jardinero. Quizá no se trataba de él sino del marido o ex marido de Grose, él sí que habría podido venir con el *Times* debajo del brazo... e irse ayudado por su mujer, dejándole en prenda el periódico. El dictado trataba del crecimiento demográfico mundial, en abundantes cifras, y resultaba muy adecuado para una práctica de ordinales y cardinales que, estoy segura, hacía las delicias de mi profesora, pero que a mí me hundió en la miseria. No era difícil, pero precisamente por ello, equivocarme en esa tontería me dejaba en muy mal papel.

En cuanto a los ejercicios lo hice pasable, confundí con mi inmejorable oído *fast,* rápido, con *far,* lejos. Contesté que me iba dentro de tres huevos en vez de tres semanas (*three eggs* en vez de *three weeks*), traduje *applicants* por aplicadores, cuando quiere decir solicitantes, y *fever* por febrero, en vez de fiebre... *He died of a fever,* él murió de fiebre, se convirtió para mí en «él murió en febrero», y la escalera mecánica, *escalator,* en un escalador. Confundí contables con incontables, las cremas con los ratones (*mouse,* ratón; *mousse,* crema), el ruido y lo bonito (*noise,* ruido; *nice,* bello) y cien desastres más de los que no me quiero ni acordar.

El examen duró casi dos horas. Grose corrigió delante de mí la parte escrita después de ponerme un 3,65 en el oral... En el escrito saqué un 4,73, según los baremos milimétricos de Grose, y eso que los verbos irregulares que vomité sin error me ayudaron a subir nota, pero aun así no aprobé.

—Tendrá que quedarse sin móvil y sin vacaciones, querida, a no ser que...

—A no ser que nada —me impuse—. Mrs. Grose, lo siento pero va usted a devolverme el móvil —le dije en castellano— porque me marcho a Londres y necesito llamar a un taxi...

—Aquí no llegan taxis —me advirtió con una sonrisa de victoria—. No hay ningún taxista tan estúpido que quiera quedarse sin coche a cambio del precio de una carrera por larga que sea, ni que lo pidiera usted para volver a Barcelona —añadió—. Depende usted de mí y de éstos, si quiero —dijo señalando a los perros, que andaban jugueteando a su alrededor—. Son obedientes y pueden impedir que se marche si se lo ordeno. No, usted no se irá, al menos no antes de terminar el curso —añadió con sorna—. Le aseguro que saldrá usted de aquí con su inglés puesto o tendrá que pasar por encima de mi cadáver...

Dudaba de si Grose hablaba en serio, de si se trataba de alguien con un endiablado sentido del humor que me había tomado como blanco de sus ironías o, por el contrario, estaba loca de remate...

—Lleguemos a un trato —me dijo finalmente—. Le hago una repesca, apruebe la parte floja del examen de aquí al mediodía y podrá marcharse, con viento fresco... La llevaré al tren y le devolveré su móvil. Así le ahorraré que se compre otro, sería usted capaz, y me lo pasaría de extranjis... El año pasado, la francesa trató de hacerme lo mismo pero no lo consiguió...

No terminó la frase.

—¿Qué francesa? —pregunté.

—Alguien como usted, pero menos torpe —contestó riéndose—. Venga, a estudiar, si quiere marcharse... Baje cuando crea que se lo sabe todo...

Subí a mi cuarto y me encerré a repasar los fallos del examen. Traté de memorizar deprisa estimulada por «el premio». Me sentía como el perro de Pavlov, animalizada. Bajé al cabo de una hora a rendir cuentas.

Grose estaba preparando la comida de sus queridos perros, grandes, negros, amistosos, en una gran olla que olía a vísceras putrefactas.

—Voy enseguida —me dijo.

Pasé a la biblioteca. No tardó. Volvió a tomar el *Times,* tuve que repetir una parte del dictado y varios ejercicios, y por fin pasamos al oral. Saqué un 6,5. Me sentía feliz. También ella estaba contenta.

—Lo que tengo que llegar a inventarme para que estudien ustedes —exclamó, con aire de victoriosa superioridad—. Nadie se lo creería. Ahí tiene su inseparable telefonito —dijo, tendiéndome el móvil que sacó del bolsillo del chándal—. Recoja usted su ropa para el fin de semana, dese prisa. Le presto una bolsa y la acerco a Ledbury. ¿Trajo guía de Londres? Si quiere puedo dejarle una...

Tenía el tiempo justo para tomar el tren de las 17.40 y llegar a Londres antes de que fuera de noche. Me quedaba el sábado entero y parte del domingo, podría pasar dos días a mis anchas y reparar fuerzas antes de volver con Grose.

Me acompañó a la estación a todo correr, iba mucho más deprisa aún que el día de mi llegada y el coche parecía a punto de descuajaringarse. Conducía sin hablar como alma que lleva el diablo.

Al llegar se encargó de comprarme los billetes, que pidió de ida y vuelta porque salía más barato, y me depositó literalmente en el vagón. Me recogería el domingo a las seis en el mismo lugar.

Traté de llamar a un hotel que me había recomendado Jennifer para reservar habitación, pero mi móvil no tenía batería. No había podido cargarlo en toda la semana porque, despistada como soy, se me había olvidado que en Inglaterra hace falta un adaptador de corriente. Era una necesidad prioritaria, en cuanto llegara a la ciudad entraría en la primera ferretería que encontrara para comprar el enchufe que me permitiera conectar el teléfono a la red. Necesitaba hablar con Jennifer, contarle lo que me estaba ocurriendo y pedirle consejo. Tal vez lo más prudente, dadas las circunstancias, era abandonar el curso. Sin embargo, nunca había sido capaz de progresar tanto, ni nunca hasta entonces había tenido la sensación de que por fin sería capaz de hablar inglés.

En el tren entablé un rato conversación con la dueña de una confitería de Ledbury y me hice entender sin demasiada dificultad. Le conté que hacía un curso de inglés con Mrs. Grose, la dueña del caserón llamado Four Roses, a quien ella casualmente conocía, y me pareció que le extrañaba mucho que se dedicara a esos menesteres, que, tan mayor, tuviera humor para hacer de profesora.

Aunque para mí sesenta años ya no suponen una edad demasiado provecta, no supe cómo replicarle. Sólo después, a tenor de cuanto me ocurrió, comprendí que quizá no se refería a Annie Grose sino a su presunta tía, la verdadera dueña de la casa. Si yo entonces hubiera sabido más inglés, la extrañeza de la confitera me habría ayudado a abrir los ojos.

En Londres lo pasé muy bien. Tuve suerte de encontrar sitio en el hotelito recomendado por Jennifer, un lugar céntrico, cerca de Carnaby Street, en el que un cartel aseguraba que se hablaba español, aunque yo hice caso omiso y solicité habitación en inglés y me mantuve en mis prácticas durante todo el rato que duró el *check-in*. Después salí a cenar, pero antes pregunté dónde podía encontrar el adaptador. Por suerte en la esquina había una tienda, una especie de *drugstore* abierto 24 horas, donde me lo venderían sin problema. También se me ocurrió, no sé por qué instinto de conservación anticipado, proveerme de una navaja, la hubiera deseado más pequeña pero sólo les quedaban de las grandes. Pagué y salí a la búsqueda de un restaurante de comida mediterránea, a ser posible no francesa porque de noche prefiero algo no condimentado con mantequilla y crema de leche, ingredientes a los que son tan aficionados los gabachos, así que busqué en la

guía dónde se encontraban los restaurantes ita-
lianos y me dirigí al Bertorelli's, pero estaba
lleno. Tuve que conformarme con un hispano-
mexicano, el único donde todavía había mesas
libres. Allí —el mundo es tan pequeño, qué
vulgaridad— me encontré con Yolanda, la hija
de mi jefe, que, en momentos de mucho trabajo, cuando los que tenían dinero negro se dedi-
caban a la compra compulsiva de inmuebles,
nos había ayudado a enseñar pisos. Andaba de
vacaciones haciendo una *tournée* por Europa
con una amiga.

La saludé y hablamos un rato. Ellas iban
ya por el postre y por eso no me senté a su lado.
Me preguntaron qué hacía en Londres. No les
dije que huir de la pesadilla de las clases, y contesté con evasivas:

—Lo mismo que vosotras, supongo...
Escampar la boira —solté en catalán. Una frase
hecha que en Londres resultaba apropiada aunque, como todo el mundo sabe, ya no hay nie-
bla por allí. «Cambiar de aires», sería en castellano, pero no exactamente...

En fin, perdón por la digresión. No sabe
usted, sin embargo, cuánto me han entretenido
durante estos últimos meses terribles esas quisi-
cosas de las lenguas tan complicadas y misterio-
sas. Para alguien que sólo ha cursado Comercio,
como yo, acostumbrada a que los números sean
iguales en cualquier idioma, resulta difícil hacerse cargo de que ni siquiera dando rodeos las

palabras encuentren significados equivalentes de una a otra lengua.

Pero no me enrollo y vuelvo a lo que estaba contando. Me dio apuro confesarle a Yolanda y a su amiga que estaba haciendo un intensivo encerrada en el campo. Sentía ante ellas una extraña vergüenza, me daba no sé qué tener que admitir frente a dos pipiolas, que se desenvolvían en inglés con una soltura prodigiosa, que yo aún andaba por los prolegómenos, aunque tuviera el firme deseo de mejorar y lo estuviera consiguiendo. Si el curso hubiera sido de chino, ruso o japonés no me habría importado decírselo, pero ser tan mayor como yo y haber sido incapaz de aprender inglés me parecía un síntoma de no servir para nada, de no ser nadie... Aunque quizá a Yolanda ya le constara... Quizá su padre le había dicho que mi ascenso se vio frustrado por ese motivo... Tal vez me equivoqué al no mencionar que pasaba aquel mes con Mrs. Grose, pero si no lo hice no fue con intención de disimular sino por lo que ya le he contado.

En cambio, es verdad que cuando, a consecuencia del resbalón de un camarero inexperto —que, por cierto, era catalán, le salió un «*collons*» del fondo del alma—, se me cayó el bolso al suelo, recogí mis pertenencias desparramadas tratando de ocultar la navaja de su vista. Me pareció que pasar por una cateta miedosa ante sus ojos añadía a mi carencia un elevado tanto por ciento de estupidez. Sé que Yolanda nunca me tuvo simpatía y por eso sacó a relucir el detalle de la navaja cuando habló con usted. Por lo demás, ciertamente fue un encuentro rápido y casual, que no se prolongó más de cinco minutos, el tiempo en que otro camarero también español, esta vez andaluz, tardó en preparar mi mesa.

Harta de las aburridas ensaladas y el anodino *roast beef* de Grose, tomé nachos con guacamole, tortilla de patata, carabineros y enchilada. Un popurrí hispano-mexicano que me supo a gloria aunque mi estómago se resintiera algo durante la noche, yo creo que a consecuencia de los tequilas y margaritas, los «sumos», como los llamaba el camarero de Carmona que, al verme sola, trató de alegrarme la cena con sus gracias:

—¿Sabe usted qué se obtiene si se mete al papa en una licuadora?

—No.

—Pues un sumo pontífise...

El sábado me paseé por la ciudad. Recorrí algunos de sus mercadillos donde hice provisión de cajas. Encontré tres que me encantaron, de finales del siglo XIX —una de pastillas para la tos y dos de té—. Regateé en inglés y las obtuve, finalmente, a muy buen precio. El domingo por la mañana estuve en la Tate Gallery, donde se armó un pequeño revuelo a causa de mi navaja. El escáner de la entrada la detectó en el bolso, algo que no gustó a los guardias de seguridad... Como no entendí exactamente qué querían que hiciese decidí que podían quedársela para que me dejaran pasar. No podía desaprovechar la ocasión de visitar la Tate Gallery precisamente aquel día en que mi madre habría celebrado su ochenta cumpleaños si no hubiera muerto a los setenta y cinco en el 2000, para contemplar en su honor el cuadro que a ella más le gustaba del mundo: la *Ofelia* de Dante Gabriel Rossetti, cuya reproducción, procedente de un calendario de la Caixa, tuvo durante los últimos años frente a su cama. Sin hermanos ni otros parientes cercanos —con mi prima tercera sólo contaba para los viajes y ahora ni para eso—, al desaparecer mi madre me quedé sin familia, una circunstancia que puede ser penosa o agradable, según se mire, pero que a mí, en estos momentos, seguramente, no me beneficia en absoluto. Excepto Jennifer, con quien no conseguí hablar hasta el domingo por la tarde y que me aconsejó no abandonar y persistir, creo que no tengo a nadie que se preocupe por mí. Mi jefe, el padre de la antipática Yolanda, prefiere no acordarse de su empleada, no vaya a ser que el embrollo en el que ando metida resulte perjudicial para la empresa. La gente es así de egoísta. Cuanto más los necesitas menos se comportan a la altura de las circunstancias. ¿Verdad?

Tal y como estaba previsto, por la tarde tomé el tren de regreso y a las seis Mrs. Grose me esperaba en la estación con un chándal limpio, color butano, y un ramo de flores.

—Para usted —dijo en inglés con una gran sonrisa y tono amable—, para que no me guarde rencor.

6.

A estas alturas creo que los cambios de humor de Grose eran un síntoma más de su desequilibrio. Aquella tarde, de regreso a Four Roses parecía contenta y estaba de lo más jovial y encantadora. No paraba de hablar en castellano. Tanto es así que en un momento dado contesté en inglés a una de sus preguntas, deseosa de seguir con las prácticas.

—Ah, picarona, ahora es usted la que me busca —dijo.

Esa palabra tan castiza, «picarona», se la había oído mucho a mi abuela. Realmente el dominio del vocabulario español de Grose era portentoso, igual que su acento de Chamberí. Se lo alabé.

—Algo bueno tenía que tener el imbécil de mi ex, algo bueno era eso... y alguna otra cosilla que no digo... En la cama, por ejemplo, le gustaba...

No continuó. Se rió como si lo hiciera para sus adentros, porque su risa gutural y profunda pareció sonar muy por detrás de sus dientes de hueso viejo. Parecía impostada como si fuera de ventrílocuo. Me recordó a la esperpéntica Doña Rogelia de Mari Carmen y sus «muñecos». De pronto paró en seco. Noté que se le caían las lágrimas. Sacó un clínex del bolsillo y se sonó con estrépito.

—A veces le echo de menos —continuó, llorando.

Yo no sabía qué decir. Grose seguía con sus mocos y su pena.

—¿Qué opina de los hombres? —me preguntó de pronto, un poco más calmada.

Tardé en contestar, y ella insistió:

—¿Qué opina usted, Laura Prats, la picarona, de los hombres? —y volvió a reírse.

—Nada en especial, como he dejado de interesarles, he decidido que lo mejor es que tampoco me interesen. A mí lo que verdaderamente me interesa es el inglés, Mrs. Grose.

Pareció alegrarse.

—Son nuestro pasado —advirtió—. Sí, querida, los hombres son nuestro pasado —y dio gas al carromato que, más agónico que nunca, bufaba y protestaba a causa del mal camino.

Llegamos a casa de noche, con frío y viento. Los perros salieron a recibirnos inquietos por la tormenta que, según Grose, habían adivinado que se avecinaba. Me pidió que cerrara bien las puertas del balcón de mi habitación que, por descuido, antes de marcharme habían quedado mal encajadas. Cuando abrí el armario para colgar los pantalones y la chaqueta que me había llevado a Londres tuve la impresión de que todo estaba revuelto e igual me

ocurrió con los cajones de la cómoda. No recordaba haber dejado los suéteres mezclados
con la ropa interior. Pero ya he señalado que
soy despistada, un defecto que se me ha acre-
centado con la edad. ¿Qué interés podía tener
Grose en fisgonear mis pertenencias? Quizá no
había sido ella, sino el equipo de limpieza de
los sábados.

Traté de restarle importancia y bajé a cenar con la bolsa que me había prestado y una
marioneta comprada, en principio para Jennifer, pero que decidí regalársela para correspon-
der a sus flores. No quería ser descortés. Para
Jennifer ya encontraría cualquier otra cosa. Se
alegró muchísimo con el obsequio y me dio dos
sonoros besos. «¡Qué delicada es usted!», dijo
tres o cuatro veces. Se había cambiado de chándal. No llevaba el que se había puesto para irme a buscar, nuevo pero de color ofensivo, sino
otro raído, rosa pálido, que le quedaba algo es-
trecho y la hacía aún más gorda, más imponen-
temente deforme.

Cenamos lo que se había entretenido
en preparar para mí, un plato escocés que su
abuela, que era de Edimburgo, le había enseñado a guisar: el *haggi,* una especie de callos españoles a base de hígado picante, menudillos,
harina de avena y cebolla, aderezado con nabos
y puré de patatas, que me supo a castigo infer-
nal. Aunque, claro está, no se lo dije. Al contrario, lo alabé como una exquisitez maravillosa

y no dejé de repetir que estaba riquísimo. Si no tomaba otra ración era porque en Londres había abusado de picantes.

Me despedí después de recoger la mesa con la excusa de que estaba cansada y con la absoluta certeza de que aquella bazofia cocinada con tanto amor habría de sentarme como un tiro.

Intenté dormir pero el estómago me ardía, así que me levanté y bajé a la cocina a buscar agua fresca. Tratando de no hacer ruido no encendí la luz, me guié con la pequeña linterna que siempre llevo en los viajes. La tempestad que auguraban los perros todavía no había llegado y no se oía ningún ruido, por eso percibí perfectamente el llanto y las quejas de alguien, en una voz apagada. Me paré a escuchar para saber de dónde venían los gemidos y me di cuenta de que no eran de fuera, sino de dentro de la casa, de arriba, del segundo piso, del lugar donde Grose dormía. Pensé que quizá le ocurría algo y la llamé desde la escalera sin atreverme a seguir subiendo, pero no me contestó. Tal vez habla en sueños, me dije, y volví a mi habitación después de proveerme del vaso de agua que tomé de la nevera. Me acosté otra vez y no habría pasado media hora cuando de nuevo oí los sollozos. Fue cuestión de instantes, porque el viento comenzaba a ulular igual que los perros y sus lúgubres sonidos lo invadían todo. La tormenta ya estaba ahí. Me tapé la cabeza con la almohada y me arrebujé entre las sábanas. Fuera llovía con furia entre truenos y relámpagos. Encendí la luz al oír el golpe de una persiana contra la pared y me levanté cuando me di cuenta de que, además, la ventana de mi baño se había abierto. Conseguí cerrarla. Justo en aquel momento debieron de fundirse los plomos o estropearse el tendido eléctrico porque me quedé a oscuras. De vez en cuando entre los postigos se filtraba un resplandor de relámpago. La tormenta fue larga. Me dormí de madrugada con un ardor de estómago insoportable que aún me duraba cuando me desperté.

El temporal había hecho estragos en el jardín. Los macizos de hortensias se habían partido, muchos rosales estaban resquebrajados y había ramas de arbustos en los parterres e infinitas hojas esparcidas por el suelo, pero el día era luminoso y el cielo limpio y liso como un mantel acabado de planchar. Grose andaba fuera tratando de evaluar los daños. Me saludó en inglés, y me preguntó si me había despertado a causa de la tempestad. Le dije que sí y que además había oído sollozar a alguien. Puso cara de extrañada.

—Debí de ser yo, en sueños, no he dejado de tener pesadillas durante toda la noche. Pero vamos a desayunar. No podemos perder un minuto.

Aquella segunda semana Mrs. Grose decidió variar algo el método y me pidió que comenzara por hacer una redacción sobre mi excursión a Londres. Me daba una hora y me advertía que no toleraría faltas. Subió a sus habitaciones, y al poco rato me pareció oír los mismos sollozos que la noche anterior, amortiguados, quizá, por los sonidos de una emisora local. Grose no solía ver la televisión, que en Four Roses se sintonizaba mal, casi siempre con interferencias, a causa de la antena que era preciso cambiar, pero sí escuchaba la radio, a menudo con auriculares, para no molestarme, aunque casi siempre los dejaba mal conectados, de manera que la música no sólo llegaba a sus oídos sino también a los míos. Pensé que Grose debía de acordarse del «imbécil» de su ex marido y por eso lloraba como había hecho en el coche. Que le denigrara no significaba que no le quisiera, tal vez, al contrario, le ridiculizaba porque seguía enamorada de él, porque le necesitaba... Soy muy sensible a esos dramas íntimos y sé cuánto nos pueden afectar. También yo lo pasé muy mal cuando Toni se marchó. Que se largara con su amiguito, que me dejara por otro hombre, me parecía inconcebible. No me habría afectado tanto si me hubiera sustituido por otra, pero jamás me imaginé que mi rival pudiera ser un tipo bigotudo y de los *mossos d'esquadra*.

Traté de concentrarme en la redacción, la repasé y esperé a que Grose volviera. No tardó en llegar. Tenía la cara demudada y, en efecto, síntomas de llanto. Pero no me atreví a preguntarle qué le pasaba. No sabía tampoco qué decirle ni cómo la podía consolar en inglés porque de nuevo Grose se había mostrado inflexible esta mañana con el asunto del idioma. Hasta que no llegue a soñar en inglés no estará salvada, me dijo, o al menos eso creí entender.

El día siguió con la rutina de los ejercicios y las tandas de verbos irregulares que Grose pretendía que me inyectara directamente en vena. A la hora de comer me dijo que la perdonara porque no se encontraba bien y que se retiraría a su habitación para descansar un poco. Con frecuencia le daban ataques de migraña, si se quedaba a oscuras un rato podríamos proseguir las clases... El médico le había cambiado el tratamiento pero no recordaba cuántas pastillas debía tomar y en qué intervalos. Lástima no tener teléfono para podérselo consultar... No me quedó más remedio que ofrecerle el mío.

No la volví a ver en toda la tarde. Hacia las seis subí al segundo piso y me acerqué a la puerta de su cuarto. No se oía nada.

—Mrs. Grose, ¿necesita algo? —pregunté—. ¿Se encuentra peor?

Nadie contestó.

—Mrs. Grose —repetí—, ¿puedo ayudarla? ¿Le apetece tomar algo?

Sin atreverme a entrar, ni siquiera a comprobar si la puerta estaba cerrada con llave, miré por el ojo de la cerradura. El ángulo de visión no me permitía ver más que la mitad de dos camas, la parte de los pies, pero por lo abultado de la ropa hubiera jurado que ambas estaban ocupadas. Si Grose reposaba en una de ellas a consecuencia de su dolor de cabeza, ¿de quién era la otra? ¿Por qué no me había dicho Grose que con ella vivía alguien más? ¿Acaso era el ex marido la persona encamada? ¿Y por qué nunca había visto a nadie más que a Grose en aquella casa? ¿Tenía ese otro huésped algo que ver con el cuerpo aupado? Me aparté, después de mirar por segunda vez, y lo más sigilosamente que pude, bajé al primer piso. Sin saber qué hacer ni qué decisión tomar, también me encerré yo en mi cuarto. La puerta de la cocina que daba al jardín se había quedado abierta, pero eso no me importaba, intuía que había muchos más peligros dentro que fuera. Para animarme me decía que tal vez lo había visto mal, que sólo había una cama ocupada, la de Grose, la otra, aunque estaba claro que parecía en uso, podía ser el cobijo de un gato. ¿Quién me decía a mí que en sus habitaciones privadas Grose no viviera con un gato? Me daba a mí misma estas explicaciones para tranquilizarme. Eché en falta el teléfono. Lo tenía Grose. En cuanto apareciera se lo reclamaría. De pronto se me pasó por la cabeza que le hubiera ocurrido algo. Dios mío, pensé, quizá está muerta. Y me vi a la mañana siguiente descubriendo el cadáver junto al gato, porque lo que sí estaba claro es que yo ya no pensaba salir de mi cuarto bien atrancado hasta que fuera de día. Por suerte para mí, el baño quedaba dentro y el agua del grifo era potable. Si tenía hambre podía echar mano de una tableta de Biomanán. Siempre viajo con ellas, por si acaso. Pero no, ni siquiera tuve tentaciones de probarlas, preferí ayunar. Me tomé sólo un Orfidal para poder dormir, como todas las noches.

Mientras esperaba el sueño pensaba en la pobre Grose y en mi mala suerte, al no poder terminar el intensivo a causa de la defunción de la profesora. Tal vez el dolor de cabeza que por la tarde le había impedido seguir con las clases era un síntoma inicial de una dolencia mucho más grave, a estas alturas ya irreversible. Pobre Grose, la compadecía y me compadecía. ¿Si seré gafe?, me decía. ¿Será verdad que jamás conseguiré hablar inglés? Mientras lo pensaba me llegaron los mismos llantos que ya había oído, pero esta vez los recibí sin inquietud, con alegría, como una prueba de que Grose seguía con vida.

7.

Fue Grose la que me despertó llamando a la puerta de mi habitación de buena mañana, mucho antes de que sonara la alarma de mi reloj, pidiéndome excusas. Sentía infinito que el terrible dolor de cabeza de la tarde de ayer la hubiese dejado a ella en un KO temporal y a mí sin clase. Me llamaba para que me levantara enseguida y pudiéramos recuperar juntas el tiempo perdido. Había planificado cada una de las unidades didácticas, día por día, y no podía saltarse ninguna sin perjudicar la efectividad de su método.

Celebré no tener que apechugar con su cadáver ni verme en la obligación de dar aviso a la funeraria en mi macarrónico inglés, aunque después de tantos sobresaltos dudaba de si valía la pena seguir aprendiendo o era preferible dejarlo y hacer turismo. Pero sabía que si abandonaba me arrepentiría siempre de haber claudicado. Además, Jennifer me había aconsejado aguantar, quizá porque en nuestra conversación del domingo había considerado exageradas mis apreciaciones acerca del carácter de Grose. Opté por seguir con el curso siempre que me devolviera el móvil pero ni siquiera tuve que pedírselo. Lo sacó del bolsillo y me lo dio, además quería abonarme la llamada. Había telefoneado al hospital que queda a dos horas, dijo, pero sabía que al usar mi móvil la llamada pasaba por España, encareciendo el coste de lo que era una simple conexión local. Me lo dijo en castellano porque era una cuestión monetaria, y «eso siempre tiene que quedar muy claro». Le pedí que lo olvidara, que el asunto no tenía importancia, y volvimos al inglés. Trabajamos muy bien toda la mañana. Grose, como ya he dicho, explicaba con claridad, y aunque le encantaba poner ejemplos protagonizados más por perros que por gatos, le pregunté si le gustaban, si tenía alguno. Me dijo que sí, que también le gustaban *«of course»* y que varios de ellos corrían por allí, que si no se dejaban ver era a causa de los perros, pero la respuesta no me sirvió de mucho. Sin embargo no me atreví a insistir tratando de averiguar si compartía habitación con algún minino más íntimo, como muchas personas solitarias.

Antes del almuerzo, que tomamos dentro porque el día estaba algo desapacible, Grose me anunció que por la tarde tenía que ir al pueblo mientras yo hacía los deberes. El médico le había aconsejado unas pastillas nuevas mucho más fuertes y necesitaba pasar por la farmacia para comprarlas por si acaso le asaltaba otra crisis. No podía permitirse dejarme de nuevo sin clases. Tardaría tan sólo el tiempo de ir y volver. No me apetecía quedarme sola, pero ella no permitió que la acompañara con la excusa de que todavía me quedaba un montón de ejercicios por hacer.

—No tendrá miedo, ¿verdad? —me preguntó antes de meterse en el coche—. Si lo tiene, use el móvil, pero pida socorro en inglés...

Y se fue. Los perros la siguieron escoltando el todoterreno un buen trecho. Luego regresaron jadeantes y se tumbaron en el jardín. Los llamé y se acercaron... Los grandes perros negros amistosos se llamaban *Dixi* y *Trixi*, nombres ridículos e inapropiados, y la que no era negra, *Diana*, en honor, supongo, de la princesa muerta. Les di un trozo de *cake* a cada uno al que añadí un poco de melocotón con natillas que encontré en un táper guardado en la nevera, con la intención de ahorrarme parte de la ración de postre.

A pesar de que no me apetecía quedarme sola en aquel lugar tan aislado, tal vez también habitado por alguien desconocido para mí, pensé que quizá la ausencia de Grose me permitiría descubrirlo y la di por bien empleada. Podría aprovecharla para entrar en su cuarto, o al menos, si lo había dejado cerrado con llave, para curiosear a mis anchas a través de la cerradura. Pero no lo hice en cuanto se fue sino después, tras un buen atracón de verbos irregulares y vocabulario, cuando hube terminado mis deberes de colegiala, como premio.

Todavía seguía repasando mentalmente una de las listas preparadas por Grose mientras comprobaba que la puerta de su habitación estaba cerrada con llave y que la cerradura había sido obstruida por dentro probablemente con un poco de algodón. Tuve tentaciones de quitarlo introduciendo un palillo pero no me atreví. Tal vez Grose lo había dejado así, adrede, para que cayera en la trampa y no quise arriesgarme. La noche anterior debió de oírme aunque no me contestase, pensé. Escuché con atención con la oreja pegada a la puerta pero de allí no salía el más mínimo rumor.

Subí después al tercer piso. Desde las ventanas más altas la vista era espléndida, por lo menos me lo había parecido el primer día, cuando Grose me la enseñó. Con mucha más dificultad que ella abrí los postigos cerrados y me quedé mirando a lo lejos, hacia el camino que llega hasta la finca. Quizá a Grose le haría ilusión que la esperara allí, como hacían las damas con los caballeros medievales, en el torreón. El atardecer avanzaba deprisa pero aún había luz suficiente para poder distinguir con claridad contornos y perfiles, de ahí que no me engañara al divisar la silueta de un hombre que acababa de cruzar la verja del jardín de Four Roses. Era corpulento, alto, parecía fuerte aunque andaba renqueando. Llevaba una gorra ancha y gafas oscuras, dos detalles que me parecieron fuera de lugar a aquellas horas. Quizá su intención no era protegerse del sol sino ocultar la cabeza y los ojos para no ser reconocido. Vestía pantalón vaquero, camisa clara, corbata de rayas y una americana de *tweed* muy británica. Debía de haber frecuentado la casa con asiduidad porque los perros no ladraron, al contrario, le recibieron haciéndole fiestas como a alguien familiar. Sin duda lo era.

—*Annie* —gritó—. *Where are you?* —primero en inglés y luego en castellano—. ¿Dónde estás, Annie? ¿Dónde diablos estás?

Trató de abrir la puerta de la cocina, la que usábamos casi siempre y que yo había dejado cerrada por dentro al subir, y luego miró hacia la ventana desde donde yo le observaba.

—Annie no está —le dije—, yo soy su alumna, Laura, Laura Prats. ¿Con quién tengo el gusto de hablar? —añadí en castellano, empleando una fórmula que me pareció muy *british*.

—Soy Richard, su marido.

—¿Quiere usted esperarla? —pregunté un poco aturdida y deseosa de que me dijera que no. No me apetecía nada tener que entablar conversación con el imbécil del ex. Además, quién sabe cómo le sentaría a ella.

—No, gracias —me contestó—. Saldré a su encuentro.

Y se fue.

Su voz me recordaba bastante a la de Grose, quizá era más profunda, igual que sus maneras. Todos los matrimonios acaban por parecerse, es cosa sabida, pensé.

Grose no tardó demasiado en volver. Venía en un estado deplorable, con la cara amoratada y sangraba por la nariz.

—¿Qué le ha ocurrido? ¿Ha tenido un accidente? ¿Dónde está el botiquín...? ¿Quiere usted que la cure?

—No se moleste, en el baño tengo agua oxigenada y yodo... Puedo yo misma.

—¿Cómo ha sido? ¿Se ha caído usted?

—Sí —dijo con un hilo de voz, y luego—: En realidad... Bueno, para qué voy a ocultárselo a usted, Laura, que es mi amiga. Ha sido él, ya sé que antes ha pasado por aquí, seguro que la ha molestado... Mire cómo me ha dejado, por poco me mata... Ahora vive cerca, a tres millas, en Fairmonth, en un *bed and breakfast*. Tengo miedo, querida, le creo capaz de todo.

Y rompió a llorar. Su llanto apagado y sus lamentos me recordaron los que había oído con anterioridad y me dio pena, ¡pobre Grose maltratada! Como de costumbre también me equivoqué.

Subió a curarse y bajó al poco rato más serena. Corrigió mis ejercicios; cenamos; y luego me pidió que la ayudara a empujar una cómoda contra la puerta principal que, a diferencia de la de la cocina, no tenía pestillo por dentro. Trataba así de impedir que su ex marido pudiera acceder a la casa y además que el ruido del mueble la alertara si el imbécil era capaz de correrlo. Le había jurado que volvería aquella misma noche para matarla. Grose estaba segura de que todavía conservaba su antigua llave.

—¿Cómo no cambió la cerradura? —le pregunté. Me parecía incomprensible que sintiéndose amenazada no lo hubiera hecho.

Francamente daba lo mismo, me contestó. Se podía entrar en la casa por muchos otros sitios. Las ventanas no tenían rejas. Bastaba con romper el cristal de cualquiera de las del sótano o de la planta baja...

—Llame usted a la policía —le dije, ofreciéndole de nuevo mi teléfono.

—Gracias, querida, pero la policía no va a hacerme ningún caso, ni se molesta conmigo...

Le pedí que me avisara si necesitaba cualquier cosa y por supuesto si el marido aparecía. Me recomendó que no saliera de mi cuarto, mi presencia aún ofuscaría más al imbécil de su ex.

—Pobre Laurita —dijo después de darme las buenas noches—, pobre chica. ¡Santo cielo! Mire en qué lío se ha metido sólo por querer aprender inglés...

La verdad es que tenía razón. El lío en el que me había metido era morrocotudo.

Tal como Grose me había pronosticado, el ex marido hizo su aparición con mucho ruido y furia hacia la una de la madrugada. Entró, según ella había anunciado, por la puerta principal con su propia llave y arremetió con su fuerza hercúlea contra la cómoda que le obstaculizaba el paso. Luego, lanzando imprecaciones —o al menos eso imaginé— contra Annie, subió las escaleras. Yo, aunque me sintiera a salvo encerrada por dentro, sufría por Grose, de manera que traté de llamar por el móvil a un teléfono de emergencia que encontré en la guía de Inglaterra. Pero el teléfono no funcionaba, no daba la más mínima señal. Intenté abrirlo para ver si había un mal contacto y cuál fue mi sorpresa cuando advertí que la tarjeta había desaparecido y que, en consecuencia, no podía pedir auxilio. Justo castigo a su perversidad, pensé, porque en estos momentos era a ella a quien quería ayudar.

Su gesto me pareció un golpe bajo. Una cosa era que no me permitiera hablar en castellano y otra, muy distinta, privarme de cualquier posibilidad de comunicarme con el exterior. Estaba rabiosa y me sentía estafada e impotente, pero absolutamente dispuesta a cantarle las cuarenta, por muy magullada que se encontrara, en cuanto se hiciera de día y el marido ofendido, «el imbécil», se hubiera marchado.

Durante largo rato, quizá media hora, pude oír una algarabía de gritos, portazos y muebles que iban de un lado a otro. Primero arriba y luego abajo en la entrada y otra vez arriba. Por fin, cuando todo pareció terminar y volvió el silencio, escuché de nuevo unos pasos bajando la escalera, alejándose, y después un último portazo.

Tal vez Grose ya no viviera, pensé, porque no se oía nada, pero estaba en un error. No habían pasado cinco minutos cuando llamó a mi puerta.

—Ábrame, Laura, por favor. Él ya se ha ido.

No tuve más remedio que hacer lo que me pedía, aunque estaba furiosa con ella.

—Mire cómo me ha dejado el imbécil —me dijo.

En efecto estaba hecha un asco. Llevaba un horrendo camisón harapiento, y parecía magullada pero menos herida de lo que en principio llegué a sospechar.

—¿Puedo pasar? —me pidió—. ¿Me permite que duerma en el sofá?

—Está usted en su casa, Mrs. Grose, disponga de mi cuarto...

—No quisiera molestarla, acuéstese. Me quedaré un rato aquí sentada, soy incapaz de estar sola...

Me sentía absolutamente incómoda y no me apetecía meterme en la cama delante de Grose. Permanecí de pie junto a ella, que parecía haber entrado en un estado catatónico. Estaba descalza y temblaba.

—Le prepararé algo caliente —le dije.

Prefería bajar a la cocina a seguir contemplando a Grose.

Al regresar con un tazón de leche, Grose estaba metida en mi cama, durmiendo o al menos con los ojos cerrados. Decidí pasar el resto de la noche tumbada en el canapé de la biblioteca, resuelta a marcharme sin más dilación al día siguiente.

8.

Cuando después de la noche de la gran escandalera le advertí a Grose que me iba porque no toleraba ni lo que le estaba ocurriendo a ella ni tampoco lo que me pasaba a mí, me suplicó que no lo hiciera. Sus huesos crujieron igual que leños verdes en una chimenea, al arrodillarse a mi lado. Yo todavía seguía recostada en el canapé de la biblioteca. En esa grotesca postura suplicante tomó una de mis manos entre las suyas.

—Por favor, señorita Prats —lloriqueó—, por favor, Laurita, no se marche ahora porque si él sabe que se ha ido me matará. Ayer no lo hizo porque sabía que estaba usted y que le había visto.

—Márchese usted también —le dije—, abandone la casa, denúnciele —le aconsejé—. ¿Por qué no lo hace?

—Si pudiera lo haría. Pero todo es inútil. Inútil —repetía, acentuando el dramatismo cínico de sus palabras—. Él me seguirá a donde vaya, como una maldición.

En eso tenía razón, luego lo supe, gracias a un libro de un tal doctor T. S. Smith que me ayudó a desenmarañar alguno de los hilos de la intrincada madeja de la personalidad de Grose. Entonces no tenía más datos que me permitieran deducirlo. Insistí una vez más en la conveniencia de que se pusiera a salvo y luego me referí a mi persona. No toleraba que hubiera manipulado mi teléfono, que me lo hubiera devuelto sin la tarjeta. ¿Por qué lo había hecho? ¿Cuál era el motivo?, le preguntaba indignada tratando de desasirme de sus manos, que sentía sobre las mías como un desagradable estropajo húmedo impregnado de grasa. Fue sin querer. Después de llamar al médico, el teléfono se le había caído al suelo. Comprobó si funcionaba y al ver que no, quiso abrirlo.

—Tal vez se había producido un mal contacto a consecuencia del golpe..., y al abrirlo, la pequeña jodida tarjeta se salió y se perdió. La busqué pero no la encontré, créame, Laura, Laurita, se lo juro, por lo que más quiera...

—No la creo, Mrs. Grose. Lo que me cuenta es imposible...

Me mantuve firme. Le advertí que quería marcharme de inmediato, que había perdido mi confianza, que no me encontraba a gusto, que me daba igual dejar el curso y hasta haber tirado el dinero, que todo me daba igual con tal de irme. Le pedí que me devolviera la maleta. Quería hacer el equipaje y regresar a España cuanto antes.

—¿Tendría la amabilidad de llevarme a la estación?

Grose se rió. Soltó una gran carcajada y me miró con sorna.

—De ninguna manera, Laurita —desde anoche me llamaba así, en diminutivo, cada dos segundos—. Usted no puede irse, no sin terminar el curso. Usted pagó por un mes y por una excursión. La haremos, se lo prometo, en cuanto apruebe el examen de esta semana. Un, dos, manos a la obra, suba a su cuarto, dúchese, vuelva a desayunar y en cuanto esté lista empezaremos.

—Le ruego que me devuelva la maleta o que me diga dónde la dejó, por favor.

—Desayunemos primero —propuso ella—. Vayamos a la cocina, por favor.

La seguí hasta allí. Preparé las bandejas con los platos y tazas mientras ella freía los huevos y asaba el bacon. De repente la tostadora empezó a arder. Fui yo la que la apagué con una bayeta húmeda.

—Está usted loca —me dijo—, hacer eso sin desconectar antes los plomos. Suerte ha tenido de no morirse de un calambrazo. ¿No le parece suficiente lo que tengo que pasar con Richard, para asustarme de ese modo? Se muere usted aquí, Laurita, ¿y qué hago yo con su cadáver? ¿Enterrarlo en el jardín?

Por un instante tuve una intuición terrible, quizá sí, quizá yo acabaría bajo un árbol del jardín si no me iba a tiempo.

—¿Sabe? Jeremy encontró unos huesos cavando. Resultaron ser de mono, al parecer. Eso no tenía nada de particular, el padre del marido de mi tía, el viejo Lord Thames, vivía con un mono adiestrado, según oí contar...

—Mrs. Grose, por favor, devuélvame la maleta.

—Mrs. Grose, devuélvame la maleta... —remedó mi voz. Tenía una habilidad especial para eso—. No pienso hacerlo. No, de momento. Calle y coma, Laurita, más le vale.

Tenía hambre y tomé el desayuno en silencio, dispuesta a salir de allí con o sin maleta, aunque fuera a cambio de tener que abandonar mis pertenencias.

—Sé lo que está pensando —me interrumpió, pasándose al inglés, en tono amistoso, y luego continuando en español—. También yo, en su caso, desearía irme, lo entiendo. Pero no puede ser. Va en ello mi prestigio y el suyo, Laurita. También el suyo. ¿O no quiere el ascenso del que me habló? Usted saldrá de aquí el 30 de agosto, ni un día menos ni tampoco uno más, con su inglés puesto, o pasará por encima de mi cadáver. Suba, vaya a por sus libros, que andamos con retraso. ¿Qué día es hoy? —volvió a pasarse al inglés.

—Miércoles —le contesté.

—Razón de más para trabajar duro. Esta semana hemos perdido casi dos días. Habrá que recuperarlos. Vamos a empezar enseguida. También yo subo un momento a cambiarme.

Me di cuenta de que Grose no me devolvería la maleta. Que si quería salir de allí tendría que ser a sus espaldas porque ella no me dejaría partir. Quizá no me quedaría otro remedio que esperar al sábado a que llegara el equipo de limpieza o aceptar la excursión del viernes a Cumbres Borrascosas y en cuanto diéramos con el primer lugar poblado, desaparecer entre la gente para tomar un tren hacia Londres y telefonear a Jennifer para pedirle que me ayudara a recuperar mis cosas, denunciando a Grose a la policía. Sin embargo, ¿de qué podría acusar a Grose? ¿De retener mi maleta en un trastero? ¿De haber estropeado sin querer mi teléfono? ¿De tener la cara dura de acostarse en mi cama? Eso no eran más que tonterías. La policía no haría otra cosa que reírse de mí.

Pero lo cierto es que mi vida en aquella casa comenzaba a ser insoportable. Me sentía prisionera de una desequilibrada, de una pobre loca a la que quizá los malos tratos del imbécil habían hecho acabar así de desquiciada. Pasé la mañana trazando planes de fuga, distraída. Grose me había obligado a retomar las clases en tono amenazante. Si suspendía no habría asueto de ningún tipo durante el fin de semana. Me reprendió por culpa de mi escasa concentración. Tuve que hacer verdaderos esfuerzos para atender a sus explicaciones sobre el futuro, aunque en el futuro tuviera puestas todas mis esperanzas y fuera la tabla de salvación a la que me agarraba. Dicen que el miedo obra un efecto paralizador; pero a mí eso no me ocurría, al contrario, el miedo unido al deseo de irme me desataba la lengua. Conjugué bien los verbos que me proponía, con un acento que, según Grose, mejoraba a ojos vistas, supongo que me lo decía para dorarme la píldora.

—Tendré que darle un premio, Laurita —me comunicó antes de comer—, con lo poco que ha dormido y lo preocupada que la veo, lo está haciendo muy pero que muy bien...

La amabilidad de Grose aún me irritaba más, por eso le agradecí que apenas hablara durante el almuerzo, que yo me pasé barruntando las posibilidades que tenía de salir de allí, incluso pensé en pedir auxilio al ex marido, si sus agradables visitas volvían a repetirse, aunque quizá también arremetería a golpes contra mí. Pensé en tratar de huir durante la noche, aprovechando que Grose dormía, aunque lo deseché. Andando y a oscuras no llegaría muy lejos. Recordé que el día de mi llegada había visto una bicicleta apoyada en una pared de la casa, pero ya no estaba. Sólo tenía una solución, robarle el coche. Claro que eso era mejor intentarlo de día, cuando ella se retiraba a su cuarto y me dejaba con los ejercicios.

Lo que me urgía hacer para estar preparada eran dos cosas. La primera encontrar las llaves de su carraca y la segunda recoger mi dinero, las tarjetas de crédito, el pasaporte y el billete de vuelta.

En cuanto terminamos de comer subí a mi habitación. Pretextando que había refrescado, le dije a Grose que me iba a cambiar. Pero antes busqué en el cajón del *tallboy* donde había guardado las libras y los euros, además del pasaporte y el pasaje. De pronto tuve el presentimiento de que quizá también me lo habría quitado. Pero no, gracias a Dios, allí estaba cuanto había dejado el día que regresé de Londres. No me pareció que faltara nada. Lo metí todo en una de esas pequeñas bolsas con cremallera que cuando viajo suelo llevar sujeta a la cintura con un elástico. Me la puse por encima de las bragas bien sujeta. Luego me cambié de ropa, escogí un jersey holgado y cómodo y unos pantalones sueltos que disimularan el bulto de mi tesoro oculto. Dejé las chanclas que usaba por casa y escogí unos zapatos cerrados por si había que andar y bajé al jardín. Tenía una corazonada: quizá Grose era de las personas que acostumbran dejar las llaves puestas en el contacto. Me acerqué al coche. En efecto, allí estaban.

Ahora o nunca, me dije. Abrí la puerta y de un salto me encaramé. Puse el motor en marcha. Los perros rodearon el viejo armatoste con su algazara y salí hacia el camino zumbando, entre ladridos y amenazantes gritos de Grose, que desde la ventana de su cuarto, alertada por el ruido del coche, estaba viendo, histérica, cómo me alejaba.

Puse rumbo hacia Ledbury por la pista que ya conocía; aunque estuviera más lejos que el *bed and breakfast,* el lugar habitado que quedaba más próximo, pero en dirección opuesta, preferí aventurarme hacia lo conocido. Estaba excitada y ansiosa de llegar. Me sentía contenta de haber podido salir de aquel tormento por mi propio pie y a la vez triste, muy triste, porque mi curso se había ido definitivamente a hacer gárgaras. Convencida de que conseguiría mi propósito de tomar el tren a Londres en cuanto llegara a Ledbury, no se me pasó por la cabeza que todavía me quedaran obstáculos por salvar. De pronto, tal vez a causa de los conjuros de la bruja de Grose, o quizá a consecuencia de mi impericia, el asmático jeep se paró en seco. Había recorrido tan sólo cuatro o cinco millas. Traté de ponerlo en marcha treinta o cuarenta veces sin conseguirlo. Quizá me había quedado sin gasolina. Miré en el maletero si entre las cajas y los picos y palas de jardinería habría algún bidón de carburante, pero no. Vi que los paquetes con los pañales continuaban ahí, junto a otros de material sanitario.

No tenía más remedio que seguir andando, aunque no sabía si me convenía más volver atrás e intentar llegar al *bed and breakfast* o continuar hacia Ledbury, lo que me llevaría muchas más horas y me obligaría a tener que hacer parte del camino en la oscuridad y autoestop al llegar a la carretera, con el consecuente peligro de que me recogiera algún pariente de Richard, que, sin mujer conocida a quien maltratar, distribuyera la fuerza de su brazo sobre el primer cuerpo femenino que se le pusiera a tiro.

Por el contrario, si volvía por donde había venido debería dar un rodeo e internarme en el bosque cuando me acercara a la casa de Grose, que, enfurecida, habría ya maquinado cualquier barbaridad para recuperar el coche y obligarme a regresar. Decidí volver sobre mis pasos, en realidad era la única alternativa factible. Según Grose, al *bed and breakfast* se podía ir andando desde Four Roses, casi dando un paseo, y no quería arriesgarme a pasar la noche a la intemperie. Tardé menos de una hora en avistar la mansión de Grose porque anduve con paso rápido, la vadeé por el bosquecillo y hube de moverme con cautela entre los árboles para no ser vista. Después conseguí llegar hasta el camino y apreté el paso cuanto pude. Mi reloj marcaba las cinco y había salido a las tres. Debía de faltar poco para llegar si, como me había dicho Grose, sus vecinos quedaban a una hora a pie. Fue entonces cuando oí el motor de un coche que se acercaba. Trataré de pararle, pensé. Trataré de pedirle que me acerque al lugar. Pero inmediatamente comprobé con horror que era Grose a bordo de su carraca. Debí suponer que, empecinada como era, y sabiendo que casi no tenía gasolina, habría salido en bicicleta, con un bidón, a buscarme. Se paró frente a mí.

—Suba o la atropello —me ordenó.

Me escapé hacia el bosque, ella me siguió a pie. Forcejeamos, pero era mucho más fuerte y me dominó.

—Mala persona —me dijo—, quería usted abandonarme robándome el coche, ¿eh? Menos mal que arreglé la bicicleta —en efecto, acababa de verla, en el portaequipajes del todoterreno.

—Ande, volvamos a casa. Pero antes devuélvame las llaves. Los duplicados no son fáciles de hacer en Ledbury. Rápido —y abrió su palma frente a mi puño cerrado. Las dejé caer.

El viaje transcurrió en silencio.

—Suba a su habitación, desagradecida —me dijo, en cuanto llegamos—. De ahora en adelante daremos clase allí.

9.

Me dejé conducir por Grose hasta mi cuarto sin ofrecer resistencia. En cuanto ella se marchó me encerré. El pestillo parecía muy seguro. Grose no podría entrar a no ser que echara la puerta abajo, me decía para darme ánimos, y yo aguantaría atrincherada hasta el sábado, hasta que llegase la brigada de la limpieza. Las provisiones de Biomanán me impedirían morirme de hambre y el cuarto de baño incorporado me permitiría no pasar sed ni verme en la humillación de tener que hacer mis necesidades en un rincón. No obstante, en previsión de que Grose pudiera cortarme el agua llené los dos jarrones que había sobre la cómoda, el lavabo y la bañera. Después me eché sobre la cama. Tenía una taquicardia espantosa y no era para menos. Oí a Grose merodear junto a la puerta.

—Déjeme entrar, Laurita —me dijo—, le traigo la cena.

—Gracias, Mrs. Grose —le contesté, tratando de mantener a duras penas el mismo tono de normalidad con que ella se había dirigido a mí—, pero ya estoy acostada.

—Abra, Laura, y coma algo, es por su bien. Si lo prefiere, me voy. Le dejo la bandeja

en la puerta. Coma algo, por favor —volvió a repetir—, no es bueno irse a la cama en ayunas.

—No se moleste. Buenas noches y muchas gracias —añadí con el mismo cinismo que
ella había empleado en su educada petición.

—Sueñe en inglés —me dijo, a modo
de despedida.

Pasé la noche casi en vela. Las pastillas
no me hacían efecto. Estaba aterrada sin saber
qué sería de mí ni cómo podría conseguir escapar de nuevo. A ratos me sentía con ánimos para
resistir pero otros, la mayoría, consideraba que
estaba a merced de Grose y que quizá ella trataría de acabar conmigo. Aunque si de verdad quisiera hacerlo, aventuraba para consolarme, no
hubiera dejado que ocupara mi cuarto ni que
me encerrara por dentro, me hubiera encerrado
ella en el sótano. Daba gracias a Dios por no estar allí a oscuras, entre cucarachas y ratas enormes. Las había visto una tarde mientras me la-
vaba la ropa interior y desde entonces hacía la
colada en el lavabo. Tal vez Grose sólo tratara
de mantenerme a raya. Estaba perturbada, en
efecto, pero no era una asesina aunque me hubiera amenazado con atropellarme, todavía no
lo era... Yo, en efecto, le había robado el coche...
Quizá sólo trataba, a las malas, eso sí, de que
mejorara mi inglés, aunque nadie en sus cabales
se comportaría como ella, quizá tampoco como
yo, me decía, aceptando la proposición de pasar
con Grose un mes sin conocerla de nada...

Agotada por el miedo y la tensión me dormí de madrugada y mi sueño debía de ser profundo porque no oí a Grose hasta que la silla que había en la cabecera de mi cama crujió a consecuencia de su peso.

—¿Prefiere dar clase tumbada, querida Laura? —me dijo.

Me incorporé instintivamente pensando que se trataba de una pesadilla. Pero no lo era, ella estaba allí, junto a mí, con un nuevo modelo de chándal verde loro que le sentaba espantoso, como todo. ¿Por dónde ha entrado?, me pregunté de inmediato.

—¿Que por dónde he entrado? —me leyó el pensamiento como ya me había ocurrido más de una vez. Fue ella misma la que contestó a la pregunta—. Pues por la puerta.

Miré hacia allí. Estaba cerrada con el pestillo puesto.

—Casa con dos puertas mala es de guardar —sentenció y señaló hacia el armario—. ¿Usted cree que yo hubiera permitido que perdiera clases encerrada en su cuarto? De ninguna manera. Puedo entrar y salir cuando me dé la gana... Por la puerta de Alcalá con la falda almidoná... —canturreó—. Por la puerta de servicio, mujer, ¿a que no sabe dónde está? —me preguntó entre horribles carcajadas.

Me froté los ojos. Seguía pensando que soñaba, pero no. No. Grose estaba a mi lado, me llegaba su olor a rancio y a sudor. Eso me certificaba que no era un espíritu porque los espíritus no huelen, aunque traspasen las paredes. ¿Por dónde pestes había entrado? Miré hacia el armario. Estaba abierto. Yo siempre lo dejaba cerrado. No era difícil suponer que al fondo de la pared se abriera una puerta aunque yo no me hubiera fijado. Entendí entonces hasta qué punto no le importaba que yo echara el pestillo. Y me sentí aún más desgraciada. Aquella bruja inmunda me tenía en sus manos, eso estaba claro, pero no entendía qué se proponía hacer conmigo. ¿Matarme? ¿Por qué? ¿Qué ganaba con ello? ¿Quedarse con mis pertenencias? Eran apenas unas pocas libras y unos cuantos cientos de euros. Claro que estaban las tarjetas... o quizá trataría, antes de asesinarme, de que transfiriera mis ahorros a su cuenta. Tal vez el móvil no era el dinero sino el simple deseo de matar, de torturar. Quizá se trataba de una sádica. De pronto entendí por qué me había hecho contestar el largo cuestionario y por qué de entre todas las candidatas me había escogido a mí. Yo no tenía familia. Eso facilitaba los planes... Nadie me echaría en falta, al principio... Claro que yo le había hablado de Jennifer. Estaba aterrada y me eché a llorar.

—No tolero que nadie llore, no lo soporto. Cállese —me amenazó—. Bébase las jodidas lágrimas. El llanto me descompone. No llore, por favor.

—Por favor, Mrs. Grose, déjeme marchar —supliqué tragándome mocos y lágrimas.

—Por supuesto que se irá, Laurita, en cuanto acabe el curso y sepa suficiente inglés. Si la he encerrado es porque no me fío de usted, picarona, usted quería irse sin completar las clases y eso no puede ser. No se lo voy a permitir. No y no. Es su última oportunidad, me lo dijo usted al llegar. Y también la mía. ¿Sabe? De joven fui institutriz en casa de unos ricos muy ricos. Tuve que enseñar a unos niños estúpidos que no aprendían ni a la de tres. Eran torpes, obtusos, se burlaban de mí. Yo entonces era joven y muy tímida. Además de pobre... Lo pasaba muy mal, me hacían mil y una perrerías, lo aguanté todo con paciencia, pero fue inútil, me echaron... Me gusta enseñar. Tengo ciertas dotes, ¿no cree? Explico bien, ¿no es así, Laurita?

—Sí —asentí. Era verdad.

—Pues con lo bien que explico, con la montonera de años de trabajo en la academia de Lebanon, más de veinte, hace dos, no se les ocurrió otra cosa que llevarme a juicio, por malos tratos. Ocho desgraciados alumnos me acusaron de malos tratos. Y ninguno, en cambio, fue capaz de asegurar que gracias a mí había aprendido, que mis enseñanzas le habían valido. ¿Malos tratos? ¿También usted me acusará de malos tratos, Laurita? Si yo lo único que trato es de que aprenda inglés...

No contesté, me sentía sobrecogida y paralizada. He conocido a gente chiflada, hay mucha más de la que imaginamos, pero nunca me había tenido que enfrentar a alguien tan perturbado como Grose.

—Vamos —dijo de pronto—. Deje de holgazanear y levántese. Son más de las diez y hay que empezar la clase. Dúchese, acicálese, en media hora la quiero lista. Le subiré el desayuno. Un desayuno ligero. Ayer no quiso cenar, no estaría bien atiborrarse ahora.

Se marchó por la puerta principal. Descorrió el cerrojo y desde fuera cerró con llave. Me precipité al armario. En efecto, al fondo, disimulada por la pared había una puerta. También estaba cerrada con llave.

Me duché, me lavé el pelo y me vestí. Abrí las ventanas, cogí mis libros de inglés y me senté frente a la mesa escritorio a esperar. No tardó en volver. Llamó a la puerta, una costumbre tan educada como, en aquellos momentos, inútil. Yo no podía abrirle.

—Abra, Laurita —dijo—, voy cargada con la bandeja de su desayuno.

—No tengo la llave, el pestillo no está echado.

—Lo había olvidado, qué estúpida soy.

Oí cómo dejaba en el suelo la bandeja y abría.

—Le traigo melocotón con natillas y un té. Me pareció que era su postre preferido.

Ya he consignado aquí hasta qué punto detestaba esos melocotones calientes empalagosos con natillas. Nunca se lo dije, pero a juzgar por mi cara al comérmelos debió de suponerlo y por eso me los ofrecía... Me los comí para no contrariarla. Esperó frente a mí de pie. Luego retiró el servicio y salió de nuevo dejando la puerta abierta. Sabía que no tenía escapatoria y por eso ni siquiera se me pasó por la cabeza salir. Comprobé sólo que la llave no hubiera quedado puesta, porque en ese caso sí que me habría encerrado por dentro, pero no estaba. Miré el reloj, eran las once. No tardó ni cinco minutos en volver.

—Vamos a empezar donde nos quedamos —seguía hablándome en castellano. De repente se dio una palmada en la frente, como si fuera un personaje de cómic—. ¡Qué cabeza la mía! —soltó—. En inglés, todo en inglés.

La clase de la mañana transcurrió, por su parte, con toda normalidad, como si yo no fuera su prisionera. Traté de hacer esfuerzos para ensimismarme en el inglés, pero me resultaba muy difícil. Examinaba los objetos de mi cuarto para saber cuál de ellos podía resultar más incisivo y contundente si tenía que defenderme. Si el sábado no conseguía que el equipo de limpieza me libertara, contándoles que Grose me retenía contra mi voluntad, que estaba secuestrada, si no me hacía entender, debería intentar huir a cualquier precio y sólo se me ocurría uno: eliminar a Grose antes de que ella me eliminara a mí, pero carecía de arma defensiva. Me arrepentía de haber dejado en la Tate Gallery la navaja, de no haber comprado otra. Unas tijeras de uñas eran lo más puntiagudo de mis pertenencias. Decidí llevarlas encima junto con el pasaporte, el dinero, el billete y las tarjetas. De momento todavía no me había cacheado.

—Está demasiado distraída esta mañana, Laura —volvió a usar el español—. Así no vamos a ninguna parte. *Never, never. Never more* —dijo—. Nunca más.

—Por favor, Mrs. Grose, tenga piedad de mí. Déjeme marchar.

—Ni por todo el oro del mundo —me contestó con una de sus frases hechas, pretendido regalo de su ex.

—Me resulta muy difícil concentrarme. Nunca pensé que las clases de inglés acabarían así. Por favor, por favor, Mrs. Grose, no creo que pueda soportarlo, tengo una terrible taquicardia —y me eché a llorar.

—Si llora aplicaré otros métodos —me amenazó, levantándose—. Ya le he dicho que no lo soporto —salió dando un portazo, y cerrando con llave.

Traté de dominarme y dominar la situación. Estábamos a jueves. Faltaban dos días contando el que aún quedaba por pasar. Dos noches. Tenía que resistir, tenía que disimular. Me dije a mí misma que lo mejor era no contrariarla, obedecerla, fingir, esperar, sin desesperar.

Traté de hacer los deberes, de memorizar más verbos. A lo mejor estaba tan como una cabra que lo hacía todo por mi inglés como insistía en decirme: «Saldrá usted de aquí con el inglés puesto o tendrá que pasar por encima de mi cadáver». Sus palabras martilleaban mis oídos. Me acordaba de algunas películas de terror, de *Psicosis, El coleccionista,* me acordaba de *Misery,* aquella loca desatada se parecía a Grose... Dios mío, pensé, a lo mejor la tortura del inglés es el aperitivo a otras torturas peores... Dos días, resiste dos días.

Las horas pasaban lentamente, trataba de concentrarme sin conseguirlo. Grose volvió al cabo de un rato con la bandeja del almuerzo: más melocotón con natillas. Comí en silencio. Esperó a que terminara y se marchó. Por la tarde la oí subir y bajar la escalera incesantemente. Y me pareció escuchar de nuevo lamentos y llantos procedentes de las habitaciones cerradas. Se me ocurrió pensar que tal vez dentro tenía confinadas e incomunicadas a mis antecesoras de cursos anteriores, quién sabe desde cuándo estaban allí, quizá atadas, amordazadas y debilitadas por largas vigilias. Sólo Dios sabe para qué experimentos las mantenía con vida. ¿Acaso no había visto en el coche material sanitario? Tal vez mi cuarto era la celda que precedía a un encierro posterior mucho más duro. ¿Y si no venía nadie el sábado? ¿Si no era cierto que los sábados llegaba la brigada limpiadora? ¿O si esa brigada limpiadora no era tal, sino secuaces suyos?

No quería pensar. No quería pero no podía dejar de estar pendiente de aquel horror.

Al atardecer volvió a presentarse. Usó la puerta del armario y no la principal.

—Perdone, no he podido venir antes. He estado ocupada arriba —y señaló al techo—. Se me ha pasado la hora del té y no he podido preparar la cena. Aún quedan melocotones —me dijo—. Y como sé que le gustan tanto... Vamos a ver los deberes... Qué tal ha ido eso...

Echó una ojeada a los ejercicios.

—Pero ¡cómo! ¿No ha terminado aún? Venga, venga, termine o la dejo sin cenar.

Me senté frente a los papeles.

—No me iré hasta que acabe, Laurita, eso no puede ser. ¿Qué dirá su mamá? Va a reñirme mucho. Annie, no es usted responsable —dijo remedando una voz desconocida.

Cada hora que pasaba me daba más cuenta de que estaba en manos de una perturbada y eso me resultaba de lo más desalentador porque no sabía cómo tratarla. Tal vez en su cerebro enfermo debía de haber alguna pequeña rendija para la piedad o la conmiseración, pero ¿por dónde y cómo llegar hasta allí?

De momento parecía que lo único factible para obtener la recompensa de la excursión a Cumbres Borrascosas era aprobar el examen del viernes, pero yo no estaba en condiciones de hacer ningún esfuerzo de concentración.

—Venga, voy a ayudarla —arrastró una silla junto a mi mesa y releyó, corrigiendo lo que yo había escrito. Luego me conminó a proseguir—: Acabe o la dejo sin cena. Ya se lo he dicho. A los niños díscolos hay que tratarlos así. No queda más remedio.

10.

Aquella noche me dejó, en efecto, sin cena. Tomé la primera tableta de Biomanán, que comparada con los melocotones calientes me supo a gloria, y me dormí gracias a dos pastillas de Orfidal. Pensaba que mantenerme en vela era inútil, que estaba a merced de Grose y que cuanto más descansada me encontrara mejor podría actuar de día. Me desperté temprano y me duché. Grose apareció con la bandeja del desayuno a las 8.30 a.m. en punto. Parecía de buen humor y la dieta había variado. No había melocotones con natillas sino huevos con bacon, mermeladas, mantequilla, tostadas y té.

—Tendrá hambre, ¿verdad?

—Sí —le contesté.

—Le traigo un desayuno muy apetecible que sólo tomará si ha estudiado. Veamos.

Dejó la bandeja sobre la cómoda y se acercó a la mesa. Me indicó que me sentara. Y me interrogó acerca del futuro. Contesté medianamente bien. Parecía satisfecha.

—Le da derecho a medio desayuno. Medio huevo, media tostada...

Partió el huevo. La yema se desparramó... Metió la cucharilla y midió cuántas cucharadas podían obtenerse. Tres y media.

—Puede comerse una y media, Laurita, no más. Una para papá, otra para mamá —intentó metérmelas en la boca.

Me parecía todo tan terriblemente grotesco, tan irreal, que estaba segura de que me encontraba en el cine viendo una película de Santiago Segura o dormida en un sueño rayano en el absurdo. Lo que me sucedía no me podía estar ocurriendo a mí. ¿Qué había hecho yo para merecer todo aquello? La situación nada tenía que ver con mis deseos de aprender inglés y sin embargo se derivaba de ellos.

Aquella mañana Grose se empeñaba en darme la comida en la boca. Quizá había hecho una regresión a sus días de institutriz y también por eso me trataba como a la niña díscola con la que tuvo que apechugar.

La yema que no me correspondía había acabado desparramada sobre la bandeja.

—Niña sucia, mira cómo has puesto esto...

—Lo siento, miss Grose —dije con vocecilla infantil.

—¿Me prometes que serás buena?

—Sí —contesté, remedando una voz de niña.

—Muy bien, entonces saldremos de paseo. ¿Qué vestidito quieres que te ponga?

—El que llevo —acerté a decir. Me horrorizaba que fuera ella quien me vistiera.

—No, mejor otro más bonito.

Y se fue hacia el armario y escogió un conjunto de blusa y falda sin bolsillos, más bien ceñido, bajo el que era imposible esconder mis pertenencias inseparables. Me ordenó que me lo pusiera, ofreciéndose a ayudarme.

Consentí, ¿qué otra cosa podía hacer?, pero antes le pregunté si podía ir al baño. Gracias a Dios me dejó. Escondí detrás del depósito del váter las tarjetas, el billete, las tijeras, el pasaporte y el dinero protegidos con papel higiénico.

Sobre la cama que ella había hecho mientras tanto, perfectamente dispuestas, estaban la falda y la blusa.

—Anda, Laurita, te ayudaré a cambiarte.

—No es necesario —le dije, recuperando mi voz de adulta.

—Bueno, vamos a ver si sabes vestirte sola.

Con un repentino ataque de pudor, me di la vuelta. Traté de quitarme la ropa lo más rápidamente que pude. No soportaba la mirada de Grose.

—Cuánto has crecido —dijo—. ¿Desde cuándo usas sujetador?

No contesté. En cuanto estuve vestida me tomó de la mano y bajamos la escalera. Me condujo al jardín. De un cajón de la mesa del cenador sacó unas tijeras y empezó a cortar flores.

—Para ti —me dijo—, para tu cuarto.

Volvimos a subir. Me dejó sola, de nuevo encerrada. Se fue sin decir palabra después de poner las flores en el jarrón que estaba sobre la cómoda.

Viernes, pensé, hoy es viernes. Resistiré hasta mañana, siendo Laurita, Laura o cualquier otra que se le antoje. El sábado llegan, a las ocho. Gritaré desde la ventana en cuanto les vea, les pediré auxilio, de ninguna manera podrán negarse a ayudarme, me decía, dispuesta a tirarme por la ventana si no me hacían caso. Había calculado ya qué posibilidades tenía de no matarme si lo intentaba y eran pocas. La altura considerable no me permitiría llegar al suelo viva, pero prefería morir a quedarme allí si las mujeres de la limpieza no me liberaban. Cada hora que pasaba era bienvenida. Nunca había deseado tanto que el tiempo se acelerara. Y sin embargo nunca había transcurrido tan despacio. Tumbada en la cama con los ojos cerrados, intentaba llevar mi imaginación lejos de allí, lo más lejos posible, y me refugiaba en los días felices de la infancia.

Me recordaba de pequeña, durante las vacaciones de verano en Mallorca, en casa de mis abuelos, jugando al escondite con otros niños o montando en bicicleta por el pueblo en completa libertad. Durante unos momentos esas imágenes me servían de consuelo, pero era poco rato el que conseguía mantenerme sin abrir los ojos para mirar uno por uno los objetos de la habitación, de gusto tan exquisito, tratando de calibrar su contundencia por si con las tijeras no tuviera bastante. Me decía que estar encerrada en el sótano hubiera sido mucho peor y trataba de no pensar en ello. No fuera a ocurrírsele a Grose. Me daba cuenta de que durante aquellas casi dos semanas había habido entre nosotras transmisiones inconscientes de pensamiento y eso ahora me asustaba. Me preguntaba una y otra vez cuál debía ser el punto flaco de aquella mujer, qué podía moverla a piedad. ¿Habría enloquecido a causa de los malos tratos? ¿Seguía enamorada de su ex marido por mucho que le llamara imbécil y tratara de ridiculizarlo ante mis ojos? ¿Puede uno querer a quien desea matarnos? Me preguntaba cómo se puede llegar a perder la razón, qué mecanismos influyen en ello. Pero no encontraba respuesta.

Para librarme de la congoja que sentía hacía planes. Si salgo de esto, me decía, trabajaré menos y me cuidaré más. Últimamente me había dedicado pocos miramientos. Desde que me di cuenta de que ya ningún hombre se fijaría siquiera en mi presencia dejé de ir a la peluquería como hacía antes, cuando pensaba que aún podía gustar a alguien, y salía a la calle sin maquillarme. De ese modo me libraba de tener que hacer cola escuchando la cháchara de otras mujeres más felices que yo u hojeando revistas del corazón llenas de personajes de la *jet set,* cuyas vidas rebosantes de glamour constituían un insulto para la mía tan vulgar y solitaria. Sin usar maquillaje me ahorraba tener que entretenerme en pasarme lociones limpiadoras por la cara antes de ir a la cama, algo que siempre me había parecido un engorro. Me juré a mí misma que si sobrevivía lo celebraría por todo lo alto, como si me hubiera tocado el gordo de la lotería. Abandonaría para siempre el inglés y viajaría a cualquier ciudad de habla hispana, a todo lujo. Pediría un permiso sin sueldo en la inmobiliaria durante quince días. Confiaba en que me lo dieran sin problema, estaban muy contentos conmigo. Fantaseaba con ir a un balneario de cinco estrellas, sumergirme en baños de aceites, chocolates, vinos, algas o cualquier otra porquería revitalizante, dejar que me masajearan de pies a cabeza y salir de allí nueva. Fantaseaba —por qué no confesarlo— con algún corazón solitario como el mío, eso sí, masculino, latiendo bajo un tórax bien musculado.

La esperanza es lo último que se pierde, dicen. Puede que sea el instinto de supervivencia el que nos lleva a aferrarnos desesperadamente a ella, en especial cuando no nos queda nada más. En mi caso era así. Aunque, sin llegar a los extremos en que yo me encontraba en aquellos momentos, a menudo, enseñando pisos a gentes de muy diversa condición, había observado que todas, ricas o pobres, se hacían la ilusión de que la vida, por fin, iba a ser generosa con ellas, que en breve las cosas mejorarían, e incluso que muy pronto se cumplirían todos sus sueños.

Me entretenía como podía, tratando de repasar en inglés la tabla de multiplicar, e incluso rezando el rosario. No soy católica practicante, aunque digamos que lo fui hasta mi adolescencia. Sin embargo, entonces, igual que cuando viajo en avión y hay turbulencias, tuve muy en cuenta mis antiguas convicciones y supliqué a Dios y la Virgen que me sacaran de aquel encierro. Prometí donativos a los pobres, ayunos, penitencias, sacrificios, novenas y hasta exvotos, todo con tal de salir de allí sana y salva.

Debían de ser las cuatro de la tarde cuando Grose hizo de nuevo su aparición. Al verme tumbada en la cama me ordenó que me levantara.

—La he dejado para que estudie y usted se duerme. Menuda holgazana está hecha. Haraganeando todo el santo día. ¿O cree que me he olvidado de que es viernes y que tiene usted que hacer el examen? Venga, levántese, a estudiar, uno, dos...

No quise contradecirla y me senté frente a la mesa. Ella acercó una silla.

—Mire, Laura —dijo—, ahora que está usted aquí, encerrada odiándome, he pensado que es un buen momento para enseñarle tacos. Los peores tacos ingleses. Son útiles, ya lo creo, relajan. Tacos, blasfemias, palabrotas y oraciones para que rece pidiendo ayuda a Dios. En su situación es lo adecuado.

La miré estupefacta. No se dio por enterada.

—Vamos a ver, ¿qué tacos sabe en inglés?

—Ninguno...

—¿Y en español? Apuesto a que usted sólo dice «mecachis» —y canturreó acto seguido—: Mi padre tiene un barco, mecachis en la mar... Venga, anímese, Laurita, y cante conmigo: mi padre tiene un barco, mecachis en la mar.

No me sabía la canción, se lo dije.

Ella seguía cantando:

—Mi padre tiene un barco, mecachis en la mar... —pero de ahí no pasaba—. Ande, Laurita, cante conmigo... ¿Qué canción sabe?

—Pocas, entono mal, no tengo oído.

—Eso no hace falta que me lo jure, me basta ver cómo maltrata la hermosa lengua de Shakespeare que es la mía... ¿Se acuerda de *Clavelitos*? Una ridícula canción española que canta la tuna. Él era tuno, el imbécil, quiero decir. Venga, cante *Clavelitos*.

Obedecí. Si alguna vez alguien escribe un tratado sobre maltratos morales, que se ponga en contacto conmigo, por favor. Puedo ofrecerle muchos datos. Creo que Grose era un caso de manual.

—¡Qué mal entona usted! —dijo con un tono de auténtica lástima.

—Ya se lo he advertido. De pequeña me echaban de todos los coros...

—No me extraña. Da pena. A lo que íbamos. Venga, se acabó el recreo. ¿Qué tacos sabe en español? Anímese, Laura. Liberará tensión.

La estúpida me tomaba además por una gilipollas mojigata. Se lo debía de pasar en grande conmigo. Le solté una ristra.

—Muy bien, querida, ahora vamos con el inglés. Verá qué fácil: *fuck, fuck you, fuck off, mother fucker, fucking.*

Nos pasamos toda la tarde taco va taco viene. Si no fuera porque era patético hubiera resultado cómico. Grose, enfundada en su asqueroso chándal, con la cara todavía amoratada, y yo con mi falda de volantes y la blusa a juego, el conjunto más elegante de cuantos había traído, que había metido en la maleta en el último momento, por si alguien me convidaba a un *party* o iba a un concierto... Cuando ya estuvo segura de que me los sabía de carrerilla, pasó al padrenuestro y luego al avemaría.

—Ya puede usted rezar en inglés, le aprovechará más —me dijo.

Le pregunté si era católica. Claro que sí, y practicante, me contestó. Pertenecía a la escasa minoría de católicos ingleses. En tiempos, en Four Roses se había celebrado misa... Los domingos iba siempre a la única iglesia del condado, aunque tuviese que conducir casi dos horas.

La noticia me alegró. Si no conseguía escapar al día siguiente, quizá podría intentarlo el domingo mientras ella estuviera fuera. Traté de utilizar nuestras comunes creencias para ablandar su corazón. Aludí a las obras de misericordia, a las virtudes, al temor de Dios y le imploré, por la Virgen, que me dejara en libertad.

—Pero cómo, Laurita, cómo puede pedir lo imposible —me contestó—. Hice un trato con usted. Un intensivo de inglés, en inglés. ¿Qué hacemos, dígame, hablando español? —y se pasó de nuevo a su idioma. Echó una parrafada de la que nada entendí excepto alguna preposición y el nombre de Dios. Cuando terminó puso la firma. Mateo, capítulo 3, versículos 1 a 8. Era un fragmento del Evangelio.

Después se levantó. *«It's OK»*, dijo, *«all ready, Laurita!»*.

Se paseó un rato por la habitación antes de marcharse, cantando *Farewell Angelina,* una canción de Joan Baez que también yo me sabía, ésa sí, de cabo a rabo. Luego frente a la puerta principal me dijo muy seria:

—Como es tarde le pondré el examen mañana, y si aprueba nos iremos de excursión prontito. No hará falta esperar a las hermanas Johnson, las de la limpieza, porque seguramente no vendrán. Su madre está muy enferma, ¿sabe? Me lo anunciaron ya el sábado pasado: si a las siete no hemos llegado es que no podemos... Me hice cargo... Así que nos iremos temprani-

to, para aprovechar bien el día... De todos mo-
dos le anticipo que no me quedará otro remedio
que llevarla esposada... No me fío ni un pelo de
usted.

11.

La noticia sobre la probable ausencia de las mujeres de la limpieza me dejó descorazonada. Quizá Grose me la había dado a propósito para minar aún más mi moral. Lista como era, debía de suponer que habría de pedirles auxilio en cuanto aparecieran. Con respecto a la excursión a Cumbres Borrascosas, estaba segura de que nunca la haríamos. Mi profesora no estaba en sus cabales pero no era tan tonta como para no imaginar que llevarme esposada levantaría de inmediato sospechas. Más bien me decía que tendría intención de trasladarme a otro lugar y por eso me anunciaba que me ataría las manos y quién sabe si no me amordazaría para dejarme morir en el sótano o, peor, para abandonarme en el bosque atada también a un árbol. Tal vez lo de la mordaza no se le había ocurrido de momento, pero todo se andaría.

Me sentía más aterrorizada que nunca y hasta pensé en acabar con mi vida con una sobredosis de Orfidales si la situación empeoraba, y decidí guardar las píldoras dentro de la bolsa de emergencia que recogí de detrás del depósito del váter y me la puse de nuevo sujeta a la cintura, después de colgar el traje de vestir en el armario cambiándolo por ropa de estar por casa. Grose no volvió a aparecer durante el resto de la tarde ni tampoco por la noche. Así que cené media ración de Biomanán y tres vasos de agua, tratando de racionar las tabletas que me quedaban por si todavía las cosas se ponían peor. La verdad es que me había quedado sin apetito. No eché de menos la cena. La oí cantar por el piso de abajo *Clavelitos* durante mucho rato, haciendo diferentes voces, graves, agudas, altas o bajas, probando qué versión le salía mejor y acabando cada una de sus felices interpretaciones con un «chim pum» horrible, que a mí se me antojaba diabólico.

La facilidad de Grose para remedar a la gente era una de sus habilidades predilectas. La había desarrollado, según me contó un día, haciendo teatro. Le hubiera encantado llegar a ser actriz, pero su físico —siempre he sido gordezuela, decía mirándose con muy buenos ojos— se lo había impedido. Aun así cuando vivía en Estados Unidos cooperaba en las obras que montaban en la escuela y hasta había dirigido y actuado en alguna de ellas. Le encantaban los disfraces.

También desde el balcón la vi jugando con los perros por el jardín, y después sobre las 9 p.m. la oí cerrar la puerta y subir hacia su cuarto. Pensé que se detendría en el mío, pero no, pasó de largo. Noté su ir y venir por el piso de arriba durante bastante rato. Cuando por fin dejó de trastear y se apagaron todos los ruidos, me metí en la cama. No sabía si ponerme el camisón o dormir vestida. Temía que si Grose entraba y me veía preparada para escapar se enfurecería aún más, pero al menos vestida me hacía la ilusión de que estaba a punto para poder marcharme. Opté por no quitarme la ropa, y me metí entre las sábanas. No era demasiado higiénico lo que estaba haciendo, pero ¿qué podía importarme? En aquella cama había dormido Grose. Sentí asco. La aversión física que desde los primeros días me había causado mi profesora se había convertido en una total repulsión. Cuando se sentaba a mi lado, instintivamente me apartaba. Creo que debió de notarlo. Pero no podía disimular, aunque lo intentaba.

Antes de acostarme puse las tijeras debajo de la almohada. Pensé que allí las tendría más al alcance de la mano que si las dejaba en mi bolsa de emergencia. Grose no me había atacado aún pero quién sabe si no lo haría muy pronto, quién sabe si en su amenaza de esposarme no había implícita la inminencia de algo peor. Si le aseguro que estaba asustada, es poco. Las palabras apenas sirven para traducir el estado de mi ánimo aquella noche, la más horrible de mi vida. El corazón me iba a toda prisa. Decir que me había aumentado la taquicardia sería faltar a la verdad, ya que creía que de un momento a otro me estallaría. Tomé dos Orfidales, tratando de que la muerte me sorprendiera dormida. Un poco más calmada, llamé al sueño repitiendo el padrenuestro y el avemaría en inglés, salpicándolos sin querer de los tacos que me había enseñado Grose, que me venían a la mente de modo automático. Menos mal que por fin el sueño acabó con la certeza de que yo también me había vuelto loca.

Hacia la una de la madrugada me despertó el estrépito de muebles y carreras en el piso de abajo y los gritos de Grose insultando a su marido. Esta vez comprendí perfectamente lo que le decía. Me llegaba únicamente la voz de ella, él no contestaba. No obstante, era evidente que el imbécil había regresado. Ojalá la mate, pensaba. Si la mata, me decía, podré escapar. Dios mío, que la mate, por favor, Señor, líbrame de este infierno, rezaba.

Encendí todas las luces de la habitación. Abrí las ventanas de par en par y me asomé vigilante. Esperaría cuanto fuera preciso y en cuanto viera salir a Richard le llamaría pidiéndole ayuda. Él sabía perfectamente que yo estaba allí, lo que ignoraba era que su mujer me había encerrado. Se lo contaría todo sin tener que esforzarme en hacerlo en inglés. No tenía nada que perder, tampoco que temer y él mucho menos de mí. Le advertiría que estaba dispuesta a testificar a su favor, donde hiciera falta, le aseguraría que yo podía dar fe de la conducta desequilibrada, anormal, sádica de Grose. En aquellos momentos, con tal de verme libre, me sentía capaz de todo, pensaba que quizá era aquélla la única oportunidad que me quedaba, que Richard, Ricardo, el imbécil, o como quiera que se llamase, era una especie de ángel libertador enviado por Dios después de tantas súplicas.

La lucha había cesado, porque ya no se oía nada, pero él no se marchaba. Desde mi puesto de vigía dominaba bien la puerta del jardín por donde tenía forzosamente que pasar y estaba pronta a llamarle en cuanto le viera salir. Tal vez pensaba quedarse a dormir, tal vez se iría mañana. No sabía cuánto podría aguantar de pie en el balcón, si el sueño me vencería justo en el momento en que él se fuera y perdería la oportunidad de gritar, de pedir auxilio. Pero estaba dispuesta a no abandonar y a quedarme allí, asomada. Cantaba *Clavelitos* para mantenerme despierta. Además, de este modo creía que llamaría su atención. Sin embargo pasaba el tiempo y no salía. Sentía frío pero no me atrevía a entrar para buscar una chaqueta, temerosa de que la casualidad me jugara una mala pasada y el imbécil se fuera en aquel momento. Los ruidos habían cesado por completo. No se oía nada, ni siquiera las lamentaciones de Grose posteriores a las peleas ni sus pasos por la escalera, camino de su cuarto.

El silencio me aterraba más. ¿Habría muerto Grose? ¿Y si fuera al revés? ¿Y si Grose se hubiera cargado a su marido? Otra vez el corazón bombeaba de manera alarmante, pensé que me daría un ataque y fue entonces cuando grité:

—Richard, Richard, por favor, venga, sáqueme de aquí. Por favor. Auxilio... Sáqueme de aquí.

Nadie contestó. Histérica, aporreé entonces la puerta, golpeé con una silla el suelo, era imposible que no me oyeran.

Por fin me llegó una voz.

—No se preocupe, Laura, ahora subo. Qué mala es esa Grose, ¿verdad? Pero ya le he dado su merecido...

La voz parecía más grave que la de Grose, pero era la de Grose, estaba segura. Era la de ella imitándole a él. Dios mío, temí lo peor.

—Qué mala es Annie, ¿verdad? Tendremos que tomar una determinación, usted y yo, Laurita... ¿No le parece?

Temblando, esperé de pie junto a la puerta con las tijeras en la mano. ¿Por qué no contestaba Richard? ¿O era él, y yo, aterrorizada, creía que me respondía Grose?

Al poco rato oí cómo abrían la puerta del armario. Entre mi ropa colgada vi primero los zapatos del marido, los bajos de sus pantalones vaqueros y después, ya de cuerpo entero, su americana, su corbata... Llevaba las gafas oscuras y la gorra. Avanzó hacia mí renqueando y me abrazó. Traté de desasirme.

—¿Qué hace usted? Por favor, suélteme.

—¿Acaso no me ha llamado? —contestó preguntando, mientras me arrastraba hacia la cama, tapándome los ojos con una mano de estropajo húmedo y acercando su boca a mi cuello como si me fuera a morder.

Entonces tuve la certeza absoluta de que era Grose, Grose, que se había puesto las ropas de su ex marido, pese a parecerme más alto y más fornido que ella...

Le clavé las tijeras a ciegas en el costado izquierdo. Debí de hacerle mucho daño porque me soltó llevándose la mano a la herida. Luego, insultándome, cayó sobre mí. Noté sus manazas presionando mi garganta, vi cómo se le desprendía un zanco que le resbalaba por la pierna del pantalón. Volví a clavarle las tijeras una, dos, tres, hasta trece veces. Chillaba como una cerda y se revolvía con estertores de agonía en mi cama.

Horrorizada, con las tijeras ensangrentadas en la mano, salí de la habitación por la puerta del armario. Tenía la llave puesta y cerré, temerosa de que Grose aun malherida o muerta pudiera alcanzarme.

12.

En estado de shock recorrí la casa llamando a Richard, pero él no podía responderme. Richard no existía, era —ahora lo sé— una invención de Grose, que nunca estuvo casada, un producto de su imaginación que la locura acabó por hacer real, como proyección de su propia personalidad, que trataba de acoplarse a un yo masculino que quizá la hubiera hecho más feliz, o eso debía de creer ella, según pude deducir de los libros que el médico que me atendió, cuando fui trasladada a la enfermería de la cárcel, tuvo la amabilidad de prestarme.

En el manual de psiquiatría del doctor T. S. Smith, que le recomiendo vivamente que lea, encontré un caso muy parecido al de Grose. Gracias a lo que el médico exponía en sus páginas comprendí que si ella se había disfrazado de hombre no fue sólo para asustarme y llamar mi atención, tratando de dar verosimilitud a la historia de los malos tratos con la escenificación de una tragicomedia de horrores, sino que intentaba realizar, siendo Richard, su sueño de haber nacido varón en vez de mujer, ya que, como tal, no se encontraba a gusto y por eso se autolesionaba, atribuyendo las lesiones a ese ex marido celoso que creía tener. Grose se odiaba a sí misma, como tanta gente, pero en vez de llevar con cierta resignación ese castigo luchando por convivir consigo del mejor modo posible, trataba de destruir lo que peor le sentaba de su persona: su físico poco agraciado que le hacía parecerse a ese hombre que hubiera deseado ser, a la vez que la hacía aborrecible a los ojos de todos los hombres, cuya mirada, sin embargo, era la única que le parecía válida, la única con derecho a contemplar el mundo, la única con capacidad de imponer las leyes, de dictar las normas que habrían de regirlo. Que Grose hubiera optado por la enseñanza era una prueba más de ese interés por hacer cumplir las reglas, aunque fuesen las gramaticales, un aspecto que tenía que ver con su lado masculino, y por eso, probablemente de manera inconsciente, lo aceptaba con gusto siempre que sus estudiantes se plegaran a sus imposiciones sin rechistar.

Ninguna de esas interpretaciones se me hubiera pasado a mí por la cabeza sin el libro del doctor Smith, que leí en traducción española, dicho sea de paso; ni siquiera ahora, si he de serle franca, después de meditar durante días y días sobre el comportamiento de Grose, pero menos aún entonces. Se lo consigno por si puede serle útil. Ya he anticipado que Grose y el presunto ex marido se parecían, que durante los minutos —no más de dos o tres— en que vi al falso Richard, separados por una altura de setenta metros, noté semejanzas entre él y Grose, pero pese a ellas, jamás hubiera podido imaginar que eran una misma persona, que Grose se disfrazaba de hombre añadiendo, gracias a los zancos, altura a su corpachón, recogiéndose el pelo debajo de la gorra y cubriendo sus ojos con gafas oscuras.

La noche de autos busqué a Richard inútilmente, como ya le he dicho. Presa del pánico, bajé al piso principal, donde en el recibidor había sillas patas arriba, muebles fuera de lugar y cristales rotos por el suelo, fruto de la pelea de Grose con el imaginario imbécil. Y después subí hasta el segundo, hasta la habitación de Grose cuya puerta estaba abierta. Entré, y lo que vi no se me va a olvidar nunca.

En una de las camas de la alcoba yacía una anciana atada con correas. Tenía un aspecto terriblemente depauperado, cadavérico. La desaté, abrió los ojos, me miró, yo creo que sin verme, y comenzó a quejarse.

Le pregunté quién era y dónde estaba el teléfono, pero no me contestó. Supongo que debí de hablarle en castellano, aunque creo que si hubiera utilizado el inglés no me hubiera servido de mucho, dado su estado.

Busqué por la habitación un teléfono, era imposible que no lo hubiera por mucho que Grose lo negara, y lo encontré en la mesilla de noche que quedaba junto a la otra cama, la que debía de ocupar Grose. El auricular no daba señal porque estaba desenchufado de la red, lo conecté. Quería telefonear a Jennifer para que fuera ella la que hablara con la policía, pero no me sabía el número de su móvil, siempre llamaba a través de la memoria del mío tras teclear su nombre. Tampoco recordaba el de emergencias que había encontrado en la guía turística, la noche en que traté de pedir auxilio para ayudar a Grose. Trastornada como estaba, no me di cuenta, en los primeros minutos, de que junto al teléfono había una pequeña agenda y que allí constaba una serie de informaciones útiles. Entre ellas la de un hospital, «hospital de Mrs. Grose», ponía, «Urgencias». Llamé. Me di a entender como pude y solicité una ambulancia. Quizá Grose aún estaba con vida. Luego traté de dar con las llaves del coche de Grose, incapaz de quedarme allí ni un minuto más. Las encontré, por fin, en el bolsillo de su chándal, tirado en una silla, entre un revoltijo de ropa.

Sé que hice mal abandonando la casa sin esperar a que vinieran del hospital, pero permanecer allí era superior a mis fuerzas. Sé que eso, para mi desgracia, será considerado un agravante más. No huía, sin embargo, de la policía; si no la llamé desde casa de Grose fue porque no supe cómo hacerlo, porque no era capaz de volver a entrar en mi habitación para mirar en la guía de Inglaterra el número de emergencia policial. Huía del horror y del encierro. De la visión de Grose ensangrentada sobre mi cama y de la del cuerpo encamado y cuasi agónico cuyos lamentos había oído los días anteriores. Prefería permanecer a la intemperie que quedarme allí, aunque fuera de noche y no supiera adónde dirigirme para buscar cobijo antes de que se hiciera de día y pudiera hablar con el Consulado y contarles cuanto me había ocurrido. No es verdad que robara el coche de Grose para llegar a toda prisa al aeropuerto y tomar un avión a España. Es absurdo pensarlo. En mi cuarto, junto al cuerpo de Grose, quedaban las pertenencias que habían de conducir directamente hacia mi persona, y en el trastero de la casa estaba mi maleta, de la que pendía una tarjeta con mi dirección. Siempre pensé en entregarme, consideraba que nada me podía pasar siendo inocente. Para mi desgracia, esta vez el coche de Grose tenía gasolina. Digo por desgracia, porque si me hubiera quedado en Four Roses todo habría sido seguramente más fácil.

Cuando estaba a punto de dejar el camino sin asfaltar me crucé con la ambulancia. Tuve que dar marcha atrás para que pudiera pasar. Quienes iban en ella, el conductor y un acompañante, debían de conocer bien el coche, porque me preguntaron si venía de la casa de Mrs. Grose y si sabía lo que había ocurrido. Les entendí pero para tratar de explicarles cuanto había pasado mi inglés no era suficiente. De manera que les pregunté si sabían español. Uno de ellos lo hablaba. Era, me dijo, el médico que atendía a la anciana señora Grose y que todos los sábados la visitaba junto a una enfermera. Alguien había avisado al hospital para pedirles que fueran enseguida porque el estado de la anciana se había agravado, quizá ya estaba muerta.

—Fui yo —le dije—, llamé yo, pero no es la vieja señora Grose la que está grave, sino su sobrina, Annie Grose.

—Está usted en un error, Annie no es pariente de la señora Grose, es la persona que su hija Laura contrata para atenderla durante el verano, cuando ella va a Sydney a casa de su hijo. Creo que en otros tiempos trabajó ya con la familia como institutriz.

—Es Annie la que está malherida, o quizá muerta —dije—. Me ha atacado, ha tratado de forzarme y yo me he defendido... Ha sido en defensa propia...

De aquella horrible noche no recuerdo más. Creo que me desmayé, según me han contado. Hice el viaje de regreso a casa de Mrs. Grose, no de mi profesora Annie Grove, pequeña pero fundamental variación por lo que al apellido se refiere, en ambulancia. El médico, ante mi estado de confusión, optó por llevarme con él y cerciorarse, antes de llamar a la policía, de que cuanto yo le contaba era verdad, que en efecto el ama de llaves de Mrs. Grose estaba muerta.

El caso Grove ocupó páginas en los periódicos británicos, y aunque este año a consecuencia del terrorismo islámico había más noticias que llevarse a la boca y el monstruo del Ness parecía en el fondo del lago, tranquilo y feliz, no dejaba de ser agosto, un mes con poca actividad informativa. De manera que gracias a esas circunstancias mi nombre fue aireado sin miramientos. En casi todos los medios se consideraba muy respetable a Mrs. Grove, que desde el 2003, año de su jubilación como profesora en un colegio de Estados Unidos, se hacía cargo durante los dos meses de verano de la vieja señora Grose, a cuyo servicio también estuvo de jovencita.

El equipo médico, que visitaba todos los sábados a la anciana señora —¡Dios mío! ¿Por qué no esperé a que aparecieran?, aunque me temo que hubiera sido inútil, mi carcelera debía de tener previsto trasladarme al sótano amordazada a primera hora para que no les viera—, consideraba que ésta estaba perfectamente atendida. Ciertamente, su sirvienta tenía que amarrarla a la cama para evitar que se cayera, pero para ello usaba el material ortopédico convencional, homologado por las autoridades sanitarias. De las atenciones que la empleada prodigaba a la señora daba cuenta el hecho de que en más de una ocasión —la última hacía apenas una semana— fuera ella misma quien la trasladara al hospital bajándola hasta el coche a cuestas, al considerar que su estado se agravaba y que el médico de urgencias tardaría en llegar... En todos los periódicos se lamentaba la espantosa manera como Annie Grove hubo de morir, a consecuencia de los tijeretazos provocados por una mujer, previsiblemente demente. En algunos destacaban que el padre de Grove había sido miembro de las Brigadas Internacionales y un enamorado de España, como ella. Una circunstancia que añade aún más morbo al caso. Estaba claro que tenía —que tengo— a todo el mundo en contra, que los ciudadanos de la pérfida Albión siguen demostrando su animosidad contra nosotros.

Me dice usted que la página web en la que yo encontré la información para el curso no existe y que nadie tiene idea de si el verano pasado llegó a Four Roses una chica francesa para aprender inglés. Supongo que ella trataba de eliminar en cuanto podía cualquier referencia comprometedora a los ojos de Laura Grose, la hija de la propietaria de la casa, que jamás hubiera consentido que Annie duplicara su jornada laboral dando clase y a la vez atendiendo a su madre, cosa lógica. Tenía, eso sí, permiso para recibir durante unos días a una amiga para estar un poco más acompañada, especialmente en agosto, cuando el servicio se marchaba de vacaciones.

La usurpación del nombre de la propietaria y el hecho de hacerse pasar por su sobrina es algo en lo que yo he insistido y tendría usted que tratar de buscar si consta en algún otro lugar. Quizá mintió también a sus compañeros de la escuela de Lebanon. En la sucursal que tiene allí el Leyonard National Bank y al número de cuenta 536047 ingresé el cincuenta por ciento del importe del curso. Investigue esa cuenta, trate de contactar con la escuela, ella aludió a que tuvo problemas por malos tratos.

Maté a mi profesora porque creía que iba a abusar de mí, creía que iba a estrangularme, lo hice en defensa propia y sé que usted me cree. Murió en mi cuarto, no en el suyo, razón de más para deducir que fui abordada por ella, que era ella la que entró en mi dormitorio. Me dice usted que insinúe que me ofusqué tras una riña de amantes, que eso podría atenuar la condena, porque es muy difícil que el juez crea que ella me había secuestrado sólo porque no aceptaba que me fuera sin terminar el curso, sin que le consten más indicios de su locura que los que yo pueda darle, sin testigos que avalen que, en efecto, trató de atropellarme y me mantuvo encerrada en mi habitación desde entonces. No puedo aportar otras pruebas que las de mi palabra de honor, ni siquiera Jennifer puede ayudarme. Hablé con ella la primera semana antes de que Grose pusiera todas las cartas de su locura boca arriba. Una locura que la llevaba a desdoblarse... La policía descubrió su cadáver calzado con zancos, algo raro para andar por casa, y vestida de hombre. Tendrían que tener en cuenta ese detalle fundamental, ¿no es cierto? Busque, por favor, qué otras personas conocían la falsa existencia de Richard. Probablemente también se inventó a ese ex marido delante de la alumna francesa cuyo testimonio sería para mí fundamental. Es muy probable que pasara por las mismas humillaciones que yo, aunque ella pudiera irse a tiempo. O quizá no, quizá está enterrada en algún lugar del jardín. ¿No me advirtió que el bobo del jardinero encontró huesos de mono, enterrados? Por favor, traten de seguir esa pista.

He dicho toda la verdad sin cambiar un punto. Puedo jurarlo. Pero me temo que la verdad en ese país de cínicos, cuyo idioma tanto difiere cuando se escribe de cuando se pronuncia —algo que debería avisarnos de entrada sobre la doblez de sus gentes—, no va a servirme de mucho.

Quizá sería mejor inventarlo todo. Dígame cómo hacerlo. Ayúdeme a buscar una coartada que pueda convencerles. No puedo más. No aguanto más. Por favor, se lo suplico, líbreme de este encierro preventivo.

El hecho de vivir en la enfermería de la cárcel no atenúa mi claustrofobia. La medicación contra la taquicardia tampoco ha calmado mi estado. Si su colega inglesa no consigue sacarme bajo fianza, no sé qué será de mí, a pesar de que este sitio es más seguro que la casa de Mrs. Grose y de que mi inglés ha mejorado muchísimo, ahora sí que podría acceder a adjunta de dirección para la zona del litoral. La otra noche soñé en inglés, pero el sueño se convirtió en pesadilla cuando ella, desde el infierno, me advirtió que me esperaba... «Aquí estoy, Laurita, guardándole sitio...»

No soy rica, ya lo sabe, pero tengo dinero para pagar la fianza y a un buen abogado, el mejor. Busque usted un bufete que investigue también acerca de la falsa Grose, también a mí me gustaría saber qué pretendía hacer conmigo, de qué modo había planeado eliminarme. A veces tengo remordimientos cuando me veo con las tijeras en la mano y me contemplo clavándoselas una, dos, tres, hasta trece veces.

La mitad del alma
CARME RIERA

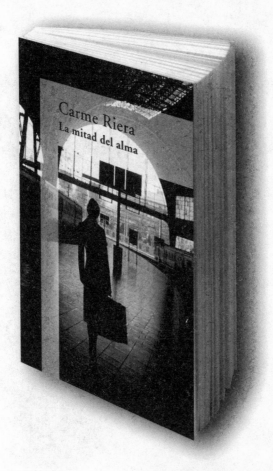

PREMIO SANT JORDI

Por el cielo y más allá
CARME RIERA

En el último azul
CARME RIERA

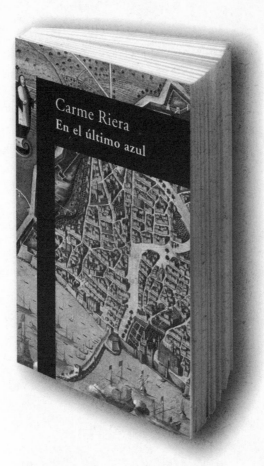

PREMIO NACIONAL
DE NARRATIVA